O CANDIDATO

O Candidato

Copyright © Rodrigo Alvarez

1ª edição: Julho 2022

Direitos reservados desta edição: CDG Edições e Publicações

O conteúdo desta obra é de total responsabilidade do autor e não reflete necessariamente a opinião da editora.

Autor:
Rodrigo Alvarez

Preparação de texto:
Tássia Carvalho

Revisão:
Gabriel Silva

Ilustração de capa:
Fernando Mena

Projeto gráfico e capa:
Jéssica Wendy

Consultoria de conteúdo:
Rodrigo de Almeida
Sérgio Patrick
Cristiano Gualda

DADOS INTERNACIONAIS DE CATALOGAÇÃO NA PUBLICAÇÃO (CIP)

Alvarez, Rodrigo
   O candidato / Rodrigo Alvarez. — Porto Alegre : Citadel, 2022.

   304 p.

   ISBN 978-65-5047-172-9

   1. Literatura brasileira 2. Sátira política I. Título

22-3255   CDD B869

Angélica Ilacqua - Bibliotecária - CRB-8/7057

Produção editorial e distribuição:

contato@citadel.com.br
www.citadel.com.br

RODRIGO **ALVAREZ**

O CANDIDATO

UMA SÁTIRA CONTEMPORÂNEA

CITADEL
Grupo Editorial

2022

ESTA É UMA OBRA DE FICÇÃO. EM TOM DE SÁTIRA, HOMENAGEIA GRANDES PERSONALIDADES — VIVAS E MORTAS — DA SOCIEDADE BRASILEIRA. DRAMATIZA, ALEGÓRICA E CRITICAMENTE, ACONTECIMENTOS DA HISTÓRIA POLÍTICA DO BRASIL ATUAL E DO PASSADO.

"A razão pela qual alguns de seus personagens podem parecer pessoas da vida real é a mesma pela qual algumas pessoas da vida real parecem personagens de ficção."

– **Fernando Del Paso,** escritor, em "Palinuro de México"

1

Ipanema, 2018

*a*o constatar que Jairo havia vencido as eleições de 2018, Almeida deu um soco na mesa, derrubando o uísque que restava no copo.

– LÍGIA, MEU BEM, ACABOU-SE A ESPERANÇA! VAMOS ARRUMAR AS MALAS!

– Hein? – Lígia retrucou, de longe, enquanto caminhava do quarto para a sala, na direção do marido.

– Não quero estar aqui para ver o tamanho da merda em que o Brasil vai entrar. Se Jairo não mudar de atitude radicalmente, vamos enfrentar um período de trevas. A SAÍDA É O AERO-PORTO, MEU BEM!

– Mas como assim, Almeida?

Ele se assustou ao notar que Lígia estava agora a seu lado, diante da TV que ainda exibia os resultados da eleição.

– Ah, sim... sim, a saída *é* o aeroporto – Almeida disse, tirando os olhos da tevê. – Aliás, quem era mesmo que dizia isso, meu bem?

– Isso o quê?

– Nada... não importa. Em 48 horas vamos embora!

Lígia não era nenhuma Amélia, e resistiu.

– Como assim, vamos embora? E a escola da Juju?

– Esqueça isso, Lígia! No lugar para onde vamos, a escola é absolutamente de graça! Aliás, graças a Deus que seu avô nos deixou esses passaportes... santo Manoel!

Antes de embarcar naquela mudança drástica, Almeida resolveu pegar um avião para Salvador, onde consultaria sua mãe de santo para ter certeza de que nenhum espírito pirracento se colocaria no caminho da família.

O táxi passou na frente do elevador Lacerda, fez a volta na praça Castro Alves, subiu o Pelourinho e o deixou na casa colonial com grades de ferro onde funcionava o terreiro.

– Mãe Frederica, por favor me diga qualquer coisa que os búzios lhe mostrarem!

– Não há nada com o que se preocupar nessa tua viagem, filho.

– Fale tudo, mãe Frederica! Não é hora de inventar coisa nenhuma...

– Até os búzios estão em desassossego neste país. Pode ir.

– Mas não vai acontecer nada de errado com a Lígia? Nem com a escola da Juju?

– Nada pode ser pior que isto que eu tô vendo aqui, filho... Vai!

– E o que foi que deu errado, minha mãe? Por que foi que o Brasil entrou nesta encruzilhada de bosta?

– Ah, filho, o passado é mais complicado. – Mãe Frederica coçou a cabeça, claramente encurralada pelas questões de Almeida. – Não tenho como adivinhar alguma coisa que já aconteceu. Faz o seguinte: segue com a tua viagem porque os búzios estão me dizendo que você deve partir logo... e que uma mudança importante virá pra você e... também pra tua família.

– Mesmo? – Almeida perguntou com os olhos arregalados, ao mesmo tempo alegre e espantado.

– Agora espere! Estou vendo algumas coisas sombrias...

– O que, minha mãe?

– Quer realmente saber?

– Claro, me diga seja lá o que for!

– Nada... nada com o que a gente possa mexer, filho. É a vontade da maioria, ou assim me parece. Segue teu caminho!

Almeida pegou o avião de volta ao Rio e, logo que saltou do táxi, em Ipanema, telefonou para uma agente de viagens pedindo-lhe que, além de lhe comprar as passagens aéreas, reservasse um mês de hotel, e que mandasse os comprovantes para Lígia. Passagem só de ida!

– Sim, econômica. – Ele coçou a cabeça. – Juju? Acaba de fazer dezesseis... isso!

Almeida estava prestes a encerrar a conversa com a agente quando uma outra chamada começou a perturbá-lo. Ele tirou o celular do ouvido e o que viu na tela foi uma insistente CHAMADA NÃO IDENTIFICADA.

– Qualquer coisa lhe telefono quando chegar a Paris – ele disse à agente, encerrando. – Não se esqueça de pedir quartos conjugados!

Desligou apressado para atender à maldita ligação.

– Quem é, meu Deus? Quem é?

– Tom Jobim.

– Você só pode estar de sacanagem! Eu não tenho tempo a perder, rapaz. O que é? Clonaram meu celular?

– Claro que não, amigo. – A pessoa que falava com Almeida fez uma pausa para fumar um charuto, e falou enquanto a fumaça ainda lhe saía da boca. – Sou eu mesmo, Almeidinha, o Tom!

– Pois é, rapaz, que coisa engraçada... Eu acabo de falar com minha agente, estava comprando uma passagem para Paris. Mas... isso é ridículo! Eu disse a ela... não... foi à Lígia que eu disse aquilo que o Tom dizia, que "a melhor saída para o brasileiro é o Aeroporto do Galeão". De onde você tirou isso de Tom Jobim?

– Amigo, aqui é mesmo o Tom Jobim. Sou eu, o compositor, o pianista, o cara que você adora, compositor da canção que você vive cantando pra tua mulher: *Eu nunca sonhei com você... Lí... gi...a...* Morou?

– Eu realmente canto isso para ela. É verdade que Lígia era um sonho para mim, que adoro samba e bossa nova, que moro em Ipanema, e que... que sua voz é mesmo muito parecida com a do Tom. Mas, ora... faz mais de vinte anos que o maestro faleceu! – Apesar da aparente incoerência, Almeida estava ficando interessado na conversa, e até sorria. – Estou achando que você é o Adnet imitando Tom Jobim. Pare de molecagem, Adnet!

– Vamos parar com isso você, Almeidinha! Então, se você tá duvidando, faz o seguinte: você tá aí na Garcia d'Ávila, certo?

– Tom Jobim, além de tudo, tem acesso ao localizador do meu celular. Pare de gracinhas, Adnet!

– Me ouve, Almeidinha! Atravessa a Visconde de Pirajá...

A voz foi guiando Almeida pelo telefone até que ele chegou à rua Nascimento Silva.

– Agora procura o número 107, Almeidinha. O porteiro é de Taperoá, como você.

– Tem até porteiro nessa pegadinha...

– Carrega no sotaque paraibano que ele não vai se negar a abrir a porta pra um conterrâneo.

Almeida obedeceu.

– Estou aqui na frente: rua Nascimento Silva, 107.

– Me esquece um pouco agora! Toca o interfone e fala num sotaque bem carregado com o porteiro!

Conforme previsto, o porteiro Zé Protásio abriu a porta e ficou empolgado ao ouvir o sotaque do visitante, especialmente quando Almeida lembrou a riqueza cultural de Taperoá, onde aconteceu toda a história do *Auto da Compadecida*.

– Do Cariri para o mundo! – exclamou o porteiro entusiasmado.

– E você sabia que foi lá, na nossa Taperoá, na secura do Cariri, que Ariano Suassuna passou a infância? – Almeida contou, eufórico. – O menino foi levado para lá depois que assassinaram o pai dele pelas costas, num episódio político. Ariano sempre se disse um taperoaense.

Impactado pelo encontro caloroso com seu conterrâneo, Zé Protásio conduziu Almeida pelo corredor, feliz da vida, estalando as havaianas verdes no mármore, sem sequer perguntar a que apartamento o visitante pretendia ir.

No elevador, Almeida voltou ao telefone para sussurrar ao dito Tom Jobim:

– E aí, maestro... aonde vou agora?

– Desce. Aperta no botão que fica embaixo do *T*. Tá apagado, eu sei, mas antes era um *S*.

– Falta agora me dizer que é *S* de samba!

– Não, Almeidinha... é de subdesenvolvido mesmo.

– Eu não vou descer coisa nenhuma!

– Calma... é brincadeira. *S* de subsolo, óbvio!

Quando o elevador chegou ao subsolo e a porta pantográfica se abriu, Almeida arregalou os olhos, e suas sobrancelhas subiram até encostar no cabelo. Chegou a pensar que estivesse delirando.

Tom Jobim, ou alguém muito parecido com ele, estava sentado num sofá branco bem confortável, com uma aparência jovial, camisa branca de linho, calça branca e meias brancas, sem sapatos, um lápis e um caderno na mão. O chapéu de palha estava em cima de um banquinho na frente de um piano de cauda.

Mesmo estranhando muito, Almeida foi se acostumando com a situação e, na dúvida, passou a tratá-lo como se fosse de fato o Tom.

– Maestro, ainda estou sob forte impacto! Como é possível eu estar aqui ao lado de Tom Jobim? Devo estar mesmo sonhando...

– Ora, Almeidinha, o que é isso? Sou de carne e osso como você – Tom disse, com um sorriso maroto no rosto.

– Me perdoe se pareço tolo. É que eu estou absolutamente encantado!

– Tá bem, eu entendo, claro. Mas, vamos lá! Já tenho a primeira estrofe, peraí... Deixa eu te mostrar.

Tom foi até o piano, tocou e cantou sua nova canção até o trecho em que dizia: *Porque eu não posso mais sofrer.*

– O Vinicius fez a primeira parte da letra, mas tem umas frases faltando e... vou te falar a verdade, Almeidinha: meu parceiro anda meio sumido. Agora ouve isso! – Tom começou a solfejar uma outra parte da melodia: *Dá...da...da...da-daá-da.*

– Não sei, Tom. Eu estou absolutamente confuso – Almeida falava e olhava para o alto, procurando câmeras, ainda pensando que fosse uma piada, alguém muito bem disfarçado de Tom Jobim. Sem nenhuma pista, prosseguiu: – Não faço a menor ideia de como vim parar nesta sala, nem, muito menos, vou me aventurar a dar palpite numa letra do mestre Vinicius de Moraes.

– Ah, não te preocupa. O poetinha teve que cuidar de uma paixão. Se eu conheço bem ele, deve estar agora na cozinha da casa de seu grande amor preparando uma galinha com uma rica e gostosa farofinha.

– Está bem. Então, tenta assim. – Almeida arriscou: – *Che... ga... de... saudade.*

Tom tocou o piano e cantarolou.

– Rapaz... essa letra se encaixa lindamente na minha melodia! Ficou chique: *Chegaaa... de... sau...da...de* – Tom cantou mais uma vez. – Agora, tem este outro trecho que também precisa de letra. Escuta, Almeidinha!

Tom tocou e cantarolou, e dessa vez Almeida falou de impulso, certeiro:

– Acho que aí nessa parte você pode cantar assim ó: *É sóoo... tristeza e a me...lan...co...lia que não sai de mim.* Sei lá, foi o que me ocorreu.

– Ô, Almeidinha, você anda muito pessimista! A canção começava triste, mas podia terminar alegre... e você me vem com essa frase carregada?

– Então muda, Tom. Eu não sou poeta mesmo. Sou escritor de discursos. Quer dizer, acho que ainda sou. Vou passar um tempo em Paris até as coisas melhorarem.

– Paris é uma beleza. Eu diria que, em certo sentido, é uma grande Taperoá.

– Pois é... Já lhe contei minha decepção, não? Não sei se foi a você que eu disse, mas lhe digo agora: o Brasil está entrando numa temporada terrível, uma polarização raivosa que cresceu violentamente durante a última campanha presidencial e dividiu os brasileiros como poucas vezes na história.

– Sério, Almeidinha? Que tristeza!

– Tivemos duas opções muito complicadas no segundo turno, tendo de um lado o candidato de um partido que você não conhece, Tom, mas que, depois de se apresentar como a própria encarnação da ética, acabou chafurdando na lama da corrupção e, bem... O problema é que, lamentavelmente, havia algo muito mais trágico que isso. E foi justamente o sujeito que venceu: um ex-deputado que nunca apresentou um projeto, que não gosta de democracia, que homenageia torturador em pleno Congresso, que não gosta de preto nem de indígena... Enfim, Tom, o Jairo vai destruir nosso país!

– Jairo? Soa como Jânio...

– E eles se parecem mesmo, em muitos sentidos. Sem falar que, para governar, fatalmente terá que se aliar ao *Centrão*, que é pior que... me perdoe os termos, Tom... Aquela horda adesista é pior que um sapo murcho com olho de baiacu morto.

Tom sorriu, e seguiu com os dedos repousados sobre as teclas do piano, ouvindo o desabafo de Almeida.

– Até pensei em me candidatar a alguma coisa, acho que minha experiência poderia ajudar. Mas na realidade sou muito mais acadêmico que executivo, e nunca encontrei um partido que me representasse verdadeiramente, ainda que todos eles vivam querendo me filiar. Está tudo uma bosta, Tom!

– Quanto pessimismo! Isto aqui é uma merda, mas é bom pra cacete, meu amigo. Um dia vai aparecer o candidato certo, com o Congresso certo, e o Brasil vai virar uma Noruega! Olha, Almeidinha, vou te agradecer eternamente por ter contribuído com a minha canção.

– Mas o que é isso, meu maestro? – Almeida disse, ruborizado, eufórico, esquecendo de vez a desconfiança inicial sobre Tom ser realmente Tom.

– Foi pra isso que eu te chamei aqui. Eu sabia da tua genialidade com as palavras e as frases ficaram mesmo ótimas na letra. Tenho certeza de que o Vinicius não vai querer mexer em mais nada. Mas, com este teu olhar de peixe derrotado e tanto pessimismo, prefiro te recomendar uma caminhada na praia. Vai ver como o Rio de Janeiro tá maravilhoso, vai!

– Por onde eu saio, maestro... pelo mesmo elevador?

– Não! De jeito nenhum. Se você entrar no elevador, vai voltar pra merda de onde veio. Sobe pela escada... sai pela porta dos fundos. Ah, e aproveita porque você tá em Ipanema, Almeidinha! É fevereiro de 1958.

2

Almeida havia perdido sua paz. Antes daquele encontro no mínimo inusitado com o dito Tom Jobim, do alto de seus quarenta e poucos anos muito intensamente vividos, o redator de discursos vinha sofrendo com uma terrível insônia. E tanta inquietação era porque ele estava farto das mesquinharias da política. Passara a vida ouvindo promessas insinceras, vendo bilhões serem gastos em campanhas eleitorais mentirosas, e planos e mais planos econômicos, alguns deles até geniais, jogados no lixo pela ganância de uns poucos. E agora, para piorar as coisas de maneira inimaginável... a eleição de Jairo.

Caso ainda não esteja claro, é bom que se diga de uma vez: Almeida era um sujeito incomum. Pernas no formato graveto bambo, uma barba rala esvoaçante como se estivesse diante do ventilador, óculos de armação azul reluzente e um olhar que, em frações de segundo, mudava do espantado para o entusiasmado e depois para o espantado outra vez.

No dia em que ganhou seu primeiro salário, o gentil homem saiu da casa dos pais em sua amada Taperoá e nunca mais voltou a depender de ninguém. Fez faculdade, mestrado, doutorado, tudo em São Paulo, e foi também na querida Sampa que se casou depois de se apaixonar ardentemente pela mulher mais divertida e sensual que conhecera na vida. Quem foi mesmo que disse que não existe amor em SP?

Lígia era uma carioca de Cordovil, lá onde não tem frescura, a luz é dura, e a chapa, quente; lugar, como ela disse no primeiro encontro, "onde o Rio encontra a Baixada". Conhecera o futuro marido numas férias que passara perto do estádio do Palmeiras, na casa de uma tia. Apaixonara-se no primeiro encontro, é verdade. Por ele e pela vida tão diferente, sem o mesmo calor, e também sem os traficantes e os tiroteios dos subúrbios fluminenses. Lígia era de Cordovil, mas sempre sonhara que iria morar em Ipanema, o cenário de grande parte das canções que Almeida cantava para ela nos primeiros anos do casamento, quando os dois frequentavam os encontros de casais com Cristo, ali na Nossa Senhora do Brasil, em São Paulo. Até que um dia o Rio chamou, e eles foram, soltos como passarinhos dispostos a criar um ninho, levando a recém-nascida Juju.

Almeida gostava dos bastidores da política e tinha ótimo trânsito em Brasília, ainda que, de maneira aparentemente contraditória, mantivesse os dois pés atrás com os políticos. Em seu linguajar sempre rebuscado e sem atalhos, definia-se como "um animal social que se alterna entre o niilista e o pragmático, com alguns rompantes de romantismo". Era, antes de tudo, um democrata inspirado no doutor Ulysses Guimarães.

"Já fui de esquerda, namorei a direita democrata e agora sou um radical de centro", ele costumava dizer a quem porventura lhe exigisse uma posição política.

O que importa mesmo é que Almeida era conhecido em Brasília como o maior escritor de discursos da história da República. Não era por acaso que a esquerda, o centro e a direita o requisitavam, e pagavam-lhe bom dinheiro para tê-lo no time. E, assim, o redator virou freguês da ponte aérea Ipanema-Planalto, deixando Lígia e Juju por muitos dias sozinhas durante a semana, mas sempre as recompensando com um respeitável salário e algumas viagens nas férias de julho. Por todos os seus raros atributos, os amigos viviam dizendo que ele devia se candidatar, "nem que fosse à prefeitura de João Pessoa".

Quando escrevia discursos para um político de certa inclinação, Almeida encontrava todos os argumentos do mundo para tornar o texto coerente: incorporava o espírito, os trejeitos retóricos e as miudezas da fala de quem quer que lhe fizesse a encomenda. Foi assim quando trabalhou para um certo *picolé de chuchu*. Rapidamente aprendeu os argumentos cartesianos e, especialmente, a maneira sem sal de falar, falar... e deixar os ouvintes com a impressão de que estavam lendo bula de purgante. Mas até para escrever bula de purgante Almeida era primoroso!

Escrevera majestosamente para a presidente, a quem, por princípio, jamais chamara de *presidenta*. Almeida vivia sugerindo a ela que fizesse aulas de interpretação com uma atriz amiga que era "uma cópia esculpida em Carrara de Alice Braga".

Não, Almeida nunca recorreu às palavras chulas dos outros amigos da tal atriz, nunca disse "a Alice cuspida e escarrada", pois seu apego às liturgias linguísticas jamais lhe permitiria tal vulgaridade.

O perspicaz taperoaense acompanhara o *impeachment* de sua chefa sem jamais baixar a cabeça, e naquele período difícil resistira bravamente aos charmes dos deputados adesistas, pois o *Centrão*, para Almeida, era "um tacho cheio de arroz podre, casca de laranja e boró", e essa metáfora quase escatológica, no sentido mais visceral da palavra, se havia materializado para ele na face asquerosa de Cunha.

Enfim, naquele fevereiro de 1958 em que fora parar, caminhava pela rua Aníbal de Mendonça e seguia o conselho do dito Tom Jobim, indo em direção à praia, achando incríveis todos aqueles carros antigos que lhe pareciam perfeitamente novos, com as pinturas ainda impecáveis.

Romi-Isettas, Karmann-ghias, Kombis... belos Impalas!

Via também, ainda começando a conquistar as ruas, os novos Fuscas, símbolos do progresso trazido pelo governo JK. E reparava que os biquínis eram bem maiores que em 2018, que os bares estavam lotados, que o cheiro de feijoada com cerveja era fortíssimo na porta dos restaurantes, e que, além disso... Bem, justamente quando ele ia chegando à praia lotada e ruidosa, seu telefone tocou.

Estranhou que o celular ainda estivesse ali, pois Tom lhe dissera que estava em 1958 – tudo indicava que era verdade –, e naquele ano não existia nem tevê colorida. Encostando-se num muro para esconder o aparelho, atendeu à chamada.

– Lígia?

– Você sumiu, cachorro!

– Não diga isso, meu bem – Almeida falou baixo, caminhando e olhando para os lados com medo de que alguém visse aquela coisa estranha em seu ouvido. – Estou andando um pouco para esquecer que vivemos entre a cruz e a caldeira em nosso país. Mas, de fato, acabei mudando de rumo e não consegui cumprir o que nós combinamos.

– Que barulho é esse? Cê tá no Maracanã?

– Não, meu bem. É a praia de Ipanema, lotada! Está um sol daqueles! Como eu queria que você e a Juju estivessem aqui.

– Sem essa! Tá a maior chuva no Rio. Eu tô vendo no meu celular. Faz semanas que você não aparece, Almeida! Botei a polícia atrás de você. Teu telefone tava sem sinal até agora, liguei todos esses dias. Sorte que você finalmente atendeu. Aliás, sorte droga nenhuma.

– Mas, meu bem... espere. Você está aqui em Ipanema ou em São Paulo?

– Nenhum dos dois. Claro que não. Esqueceu que a gente tava de mudança? Tô em Paris, lógico. Eu sempre quis vir pra cá! E você? Comeu um travesti e levou um boa-noite Cinderela, foi isso? *Cinderelo!* Me conta a verdade que eu posso entender e, quem sabe, até perdoar. Conta, Almeida... conta antes que seja tarde!

– Não teve nada de grave, não, meu bem. É o que lhe disse, estou em Ipanema. E você... então, você resolveu ir mesmo a Paris? E a Juju, ela está bem?

– Ótima. Começa a escola na segunda.

– Que maravilha, Lígia! Pois, escute, não quero jamais mentir para você. – Ele passou a sussurrar, com a boca grudada no telefone, entusiasmado. – Alguma coisa me fez voltar no tempo. Não sei se foi algum trabalho de mãe Frederica... não sei explicar, mas a realidade é que estou vagando por 1958, uma coisa maravilhosa! Estou aqui na mesma Ipanema onde vivíamos antes de você se mudar, só que em 1958!

– Almeida, você perdeu completamente a vergonha! A polícia disse que você foi visto pela última vez entrando num prédio na rua Nascimento Silva. Você acha que eu não sei que você passou as últimas noites debaixo do lençol com uma piranhete qualquer?

– Lígia... pare de dizer essas coisas... me ouça! – Ele seguia sussurrando com a boca grudada no celular. E saiu andando meio desgovernado, apoiando-se num muro. – Você não vai acreditar, mas... eu estive com Tom Jobim!

– Claro. E eu vou me encontrar daqui a pouco com o Napoleão! Almeida, é o seguinte: por causa do teu chilique com os candidatos à presidência, e depois... a vitória do Jairo, eu e a Juju viemos sozinhas aqui pra França. A gente veio por tua causa, porque você comprou essas passagens, reservou esse hotel bosta na Champs-Élysées... Afinal, você queria respirar outros ares, lembra?

– Sim, meu bem. Eu escuto – ele disse, atravessando a Vieira Souto em direção à praia.

– Pois então me escute bem! Ou você aparece nas próximas 24 horas, ou pode cavar tua cova no Caju!

– Mas como ass...

– Vai, Almeida! Toca teus planos aí enquanto eu e a Juju vamos nos adaptando à nova realidade! E tá bem bom, sabia? As baguetes aqui são supercrocantes!

– Está bem, Lígia, fico feliz de saber que vocês estão gostando de Paris. Não deixe de ouvir a *Chanson de Prévert*, é uma obra-prima do Gainsbourg. Lamento profundamente minha demora, mas é momentânea, acredite! Vou lhe dar notícias em breve. – Almeida estava agora com a cabeça enfiada debaixo de uma barraca de sol vazia. – Vou ter que desligar, meu bem. Estou fazendo de tudo para que ninguém veja este celular aqui na praia. Vão achar que sou um agente da CIA com uma coisa dessas na mão. E, mesmo eu estando escondido, já passaram dois caras perguntando se vou para um velório... este meu terno. Mas, antes de ir, Lígia, ouça uma coisa! Lígia?

– Desembucha, Almeida!

– Penso que deve haver um propósito para eu ter vindo parar em 1958, você não acha?

– Acho sim, acho que aquele livro *1958* deu um nó na tua cabeça. E, claro, a eleição. Você não tava preparado! Mas sabe que o Jairo já começou a mudar as coisas em Brasília, né?

– Não me conte nada, Lígia, por favor! Quero me concentrar nisto aqui. Há de haver alguma razão para eu ter voltado ao passado! Enfim, quando eu descobrir, assim que puder, vou correndo a Paris encontrar você e Juju. Amo vocês!

– DESCARADO! – Depois de gritar, Lígia ficou em silêncio esperando alguma reação, sem perceber que Almeida já havia desligado o celular quando ela resolveu dizer, enfim, aos prantos, o que tanto queria: – Te amo... Seu perdido, volta logo pra mim!

3

Almeida pegou os sapatos na mão e saiu caminhando pela beira do mar. Percorreu toda Ipanema, fez a curva no Arpoador, entrou pela Francisco Otaviano e, mais uma vez encantado com aqueles carros antigos que desfilavam pelo asfalto, seguiu com seu caminhar de graveto envergado até a praia de Copacabana. Sentia-se num sonho. Vivendo no que, ele sempre pensara, tinha sido "indiscutivelmente o melhor momento da história do Brasil".

Então, avistou um grupo que bebia e tocava violão sentado na areia. Sentando-se a alguns metros da turma, ficou ali, curtindo a música, um sorriso de lábios finos espalhando-se pelos dois cantos da boca.

– Esta aqui eu acabei de compor – disse um garoto com violão em punho, cantando: – *Se é tarde me perdoa... mas eu não sabia... que você sabia... que a vida é tão boa.* Tenta fazer coro comigo, Nara!

"Nara?"

Almeida ficou espantado ao ouvir aquele nome que lhe era tão nostálgico. Curvou-se para ver o rosto da moça e teve certeza de que era mesmo ela... Nara Leão!

Se é tarde me perdoa...

Nara interrompeu a canção ao notar aquela presença inesperada.

– Um instante, Ronaldo – ela disse, achando graça de Almeida. – Tem um cara nos assistindo, superanimado...

– E aí, amigo da gravata? Vai ficar encolhido aí ou vem cantar com a gente?

Quem gritou foi Normando, com um sotaque nordestino impregnado de maresia carioca, o que deixou Almeida ainda mais à vontade para tirar o paletó, afrouxar a gravata, dobrar as mangas da camisa branca e sentar-se perto de Nara.

– Oi, turma, muito prazer! Eu sou o Almeida, mas todo mundo lá de onde venho me conhece como Almeidinha.

Logo o pessoal voltou a cantar, e a beber, e a falar alto.

O estranho se sentia como pinto no lixo, cantarolando timidamente ao lado daquelas pessoas incríveis. Até Nelson Motta estava ali, novinho, sorriso cativante, um cara que, Almeida sempre dissera, "representa o lado A do Brasil".

Um sujeito que ia passando viu aquela cena e resmungou, para quem quisesse ouvir:

– Isso aí não passa de um convescote de riquinho da Zona Sul! Nunca ouvi falar de bossa nova lá em Vila Isabel...

Foi ignorado.

Almeida ficou ali, bebendo uísque sem qualquer preocupação e, quando se deu conta, horas depois, estava na grande sala do apartamento dos pais de Nara, diante de um lindíssimo, e ainda limpo, mar de Copacabana.

A lua estava imensa e amarela. João Gilberto cantava, e todos admiravam em silêncio para não perturbar o gênio.

Noite mágica, sem dúvida!

Depois de muito criar coragem, e mais uísque, Almeida foi para cima de uma cantora loira de uns vinte e poucos anos que, desde que ele chegara, não lhe tirava os olhos. Sem dizer palavra alguma, atracou-se a ela num sofá e os dois se engalfinharam de tal maneira que nem perceberam que estavam sozinhos na sala.

Quando se deram conta, amanhecia. E ele, depois de se espreguiçar ao lado da moça, procurou os óculos embaixo do sofá, vestiu o paletó e, refazendo o nó da gravata enquanto saía do apartamento luxuoso, desceu apressado os oito andares pela escadaria do edifício, lembrando-se da recomendação de Tom para não usar o elevador.

Sentindo-se tremendamente culpado, Almeida resolveu que ficaria um tempo sem telefonar para Lígia ou atender aos telefonemas dela.

– Até esquecer a sacanagem que lhe fiz – murmurou sozinho.

E o telefone tocou.

– Almeidinha?

– Tom?

– O próprio.

– Você? Ah, Tom, não... não estou muito legal.

– O que houve, amigo? Tô precisando falar com você. Dá uma passadinha aqui em casa.

4

ngustiado, sentindo-se o pior dos mortais, Almeida re-signou-se. Caminhou até o edifício da Nascimento Sil-va, onde encontrou a porta aberta e, evitando o elevador, desceu ao subsolo. Lá viu Tom Jobim na mesma posição em que o deixara da outra vez. Coincidentemente, com a mesma roupa.

– Dá um tranco na porta, Almeidinha! Essa maçaneta tá uma porcaria.

Tom estava ao piano.

– Estou compondo uma nova canção. Quer me ajudar?

– Não, Tom. De jeito nenhum. Eu vim aqui...

– Você veio porque eu te chamei, ora!

– Você me chamou? Ah, sim, você me telefonou, é verdade. Mas confesso que vim por razões puramente egoístas, porque estou precisando desabafar.

– Mas tem que ser agora, Almeidinha? Vai interromper meu processo criativo. Preciso do teu toque numa outra letra. Aquela foi um sucesso! Você viu?

– Sabe, Tom... eu queria saber de você se os Anos Dourados estão sendo realmente um momento mágico na história do Brasil. É mesmo tudo isso que os livros nos dizem?

– E não é? Ora! Brasil campeão do mundo, bossa nova ganhando fama internacional, Eder Jofre despontando no boxe mundial, indústria automobilística, crescimento econômico, Brasília quase pronta... A gente tem até uma tenista campeã de Wimbledon!

– Eu sei, Tom, foi por isso que eu sempre quis saber como era a vida em 1958.

– Mas já é 1960, Almeidinha! Por onde você andou?

– Como assim? Confesso que não estou entendendo. Estive aqui com você, depois fui à praia conforme me recomendou, vivi um romance tórrido com a loira, razão de meu desassossego, mas, enfim, uma loira que conheci na casa da Nara e... e acordei meio zonzo, mas tenho a impressão de que não faz muito tempo que estive aqui com você.

– Almeidinha! Que uísque vagabundo você tomou, rapaz? Já lancei aquele disco com a Elizeth faz tempo. Foi um sucesso. A canção "Chega de Saudade", lembra que você me ajudou? Virou febre mundial!

– Não sei, Tom. Estou profundamente confuso com tudo isso. Acho que o tempo aqui passa mais rápido que no futuro, não sei. E carrego uma culpa muito incômoda por ter traído Lígia. Essa minha imensa culpa cristã!

– Por isso que você tá confuso, Almeidinha. Mas esquece. Lígia está muito bem, de amizade com o diplomata.

– Que diplomata? O Vinicius?

– Quem dera, amigo, quem dera! Ela anda de amizade com um diplomata brasileiro em Paris. Um coroa sarado que o novo presidente mandou pra lá. O sujeito é influente e diz publicamente que não gosta de bicha. Falam que tem enorme potencial pra virar ministro da Educação.

– Mas... Tom... como você sabe dessas coisas?

– Almeidinha, querido... notícia aqui em Ipanema corre. Ainda mais uma dessas! Vamos cantar pra esquecer as mágoas? Ouve isso...

Tom ia começar a tocar quando Almeida o interrompeu.

– Me desculpe, Tom, não tenho cabeça para bossa nova nem bosta nenhuma depois do que você me contou. Aliás, já cheguei aqui completamente arrasado, morrendo de saudade de Lígia e Juju.

– Tá bem, eu entendo, claro. Então, vou te mostrar a música que eu tô compondo pra inauguração da nova capital, pode ser?

Tom foi tocar um trecho da "Sinfonia da Alvorada", mas a ansiedade de Almeida o interrompeu mais uma vez.

– Tom, você sabe me dizer o que foi... quer dizer, o que *vai* dar errado?

– Errado como, Almeida? – Tom perguntou, e fechou a tampa do piano, querendo dar importância ao que ouvia.

– Viveu-se numa felicidade que parecia sem fim em 1958, você ainda vibra com o nosso Brasil, mas daqui a pouco a coisa vai degringolar, ou não vai?

– Deixa de ser pessimista, Almeidinha, você sempre pode dar um pulo em Nova York!

– Na realidade, eu estava com passagem comprada para Paris. Pensava em passar uns anos lá com a Lígia e com a Juju, mas foi justamente quando você me telefonou.

– Vai pra lá, então, ora! Deixa eu te falar a verdade: isto aqui tem muito oba-oba, não tem muito jeito não.

– Como assim, Tom? Tudo o que li e ouvi me dizia que 1958 e os anos que se seguiram foram os mais felizes da nossa história.

– Sim, mas tem muito oba-oba, euforia, e nós já estamos em 1960, lembra? Daqui a pouco o Jânio tá aí, vem o Jango... Vai dar uma merda danada.

– Então, aquela nostalgia toda que eu sinto do tempo em que o Brasil dava certo, quando o Rio era maravilhoso, quando todos eram gentis e sorridentes, quando não havia corrupção, quando a gente podia andar na rua sem medo...

– Nunca existiu.

– Hein?

– Bem, talvez sim por um tempo muito curto e pra algumas pessoas de uma certa elite do Rio e de São Paulo... talvez pra alguns felizardos os Anos Dourados existam. Mas vá ali no morro da Mangueira e pergunte se tá tudo uma maravilha? Tente cantar pra eles alguma coisa como "*o barquinho vai*" pra ver onde vão mandar você enfiar o barquinho!

Almeida assentiu.

– É verdade, tem aquela música do Zé Keti. Uma tragédia só!

Tom abriu de novo o piano, e logo começou a cantar:

– *Acender as velas... já é profissão... quando não tem samba tem desilusão.*

– Como eu ignorei isso? Até a Nara vai cantar essa canção – Almeida falou no meio da música, e Tom seguiu cantando, meio sussurrando com a voz soprada no estilo bossa nova.

– *E a gente morre sem querer morrer.* – Tom parou de tocar e deu um trago no charuto. – É normal, Almeidinha. Quando a gente olha pro passado tende a ver o que é bom. Eu, por exemplo, sempre admirei os modernistas, sempre achei que a década de 1920, com Villa-Lobos, Tarsila e Drummond de Andrade é que tinha sido o grande momento do Brasil. Mas o nome disso é nostalgia... porque nunca estivemos livres dos nossos imensos problemas, nascidos lá atrás com a escravidão dos africanos e a dizimação da cultura dos nossos povos nativos. Ainda que de fato estejam acontecendo coisas maravilhosas nisso que você chama de Anos Dourados, a merda já tá por aí.

– O problema é que vai piorar, Tom. Os Anos de Chumbo estão chegando, e depois deles vêm os anos Collor, compra de votos para a reeleição, os anos do Petrolão... e os anos... sei lá... os "ânus *eternus*", como diz um amigo meu que também ficou profundamente decepcionado com a ascensão de Jairo, um amigo um pouco grosseiro, é verdade. O que eu não entendo, Tom, é que diabos estou fazendo aqui em 1960. Você sabe?

– Olha, Almeidinha. Eu acho que, com as tuas qualidades de acadêmico, democrata honesto, culto e profundamente hábil com as palavras, você está em posição privilegiada para mudar o Brasil.

Almeida ficou rosado como a flor de uma cabeça-de-frade.

– De maneira nenhuma, Tom. Agradeço-lhe de verdade, mas eu não teria as qualidades executivas necessárias para conduzir nosso país. Não sou hábil o suficiente e enfrentaria uma terrível dificuldade se precisasse lidar com o *Centrão*, que...

– É pior que um sapo murcho com olho de baiacu morto – Tom falou junto com Almeida, como se os dois tivessem ensaiado.

– Então você sabe?

– Sei, claro que sei da tua dificuldade em lidar com pessoas que só trabalham em benefício próprio. Mas você é uma grande esperança, Almeidinha. Não precisa responder agora, mas pensa no que vou lhe dizer: você é *o candidato ideal* para mudar o Brasil!

– Ora, Tom, quanta gentileza. Fico deveras lisonjeado, mas, com todo o respeito que lhe tenho, digo-lhe que sob nenhuma hipótese eu me candidataria. Nem mesmo à prefeitura de João

Pessoa! E olha que já me propuseram, e tanto insistiram meus conterrâneos.

– Sei...

– Preciso apenas entender o que estou fazendo aqui nos Anos Dourados, nesse tempo que eu sempre acreditei que fosse o de maior esperança para o nosso Brasil, e que agora vejo que... que não foi bem isso. Depois de entender o que me trouxe até aqui, volto imediatamente para minha Lígia e para minha Juju!

– Entendo, entendo muito bem. Mas me preocupo com esse teu pessimismo, Almeidinha. E confesso que não sei como você se tornou tão exímio letrista de bossa nova. Aliás, depois vê a capa do *Canção do Amor Demais*. Coloquei um agradecimento a você.

Almeida ficou lisonjeado, as bochechas rosadas. E um sorriso maroto lhe brotou no rosto.

– Você é um grande brasileiro, Tom!

– E sou Almeida também, sabia? Antônio Carlos Brasileiro de Almeida Jobim.

Almeida sorriu seu sorriso largo, e Tom continuou:

– Devemos ter algum parentesco, ainda que distante.

– Certamente distante, Tom. Como você sabe, eu nasci em Taperoá, terra do grande Suassuna, na Paraíba, na região do Cariri.

– Bem, vamos lá, Almeidinha. Digo a verdade: o motivo pra eu ter trazido você aqui é o seguinte... – Tom pegou um violão, começou a tocar e cantar: – *Um cantinho, um violão... esse amor uma canção.*

Almeida fez dueto com o maestro:

– *Pra fazer feliz a quem se ama.*

Tom seguiu cantando até que chegou a um ponto em que a canção não tinha mais letra.

– É aqui o problema, Almeidinha.

– Espere. Repita a melodia, por gentileza!

Almeida ouviu com muita atenção enquanto Tom tocava a parte sem letra, e, enfim, lá do fundo do peito, lhe veio a inspiração.

– Veja se funciona assim, Tom. *E eu que era triste... descrente deste mundo.*

Tom parou no meio de um acorde.

– Pô, Almeidinha, lá vem você com pessimismo outra vez.

– Não, espere, espere... o fim é otimista.

Tom retomou a harmonia no violão, e Almeida cantou:

– *Ao encontrar você eu conheci... o que é felicidade, minha Lígia.*

– Aí sim! Isso ficou uma beleza, Almeidinha. Só vou trocar o *minha Lígia* por... só um instante. – Tom foi escrevendo o novo trecho da letra da música num papel. – Vai terminar com *meu amor,* tá bom? Ficou perfeito. Sabia que você não iria me deixar na mão!

O maestro comemorou cantando o trecho completo, e Almeida o acompanhou, meio desafinado: *O que é felicidade, meu amor.*

– Serve um pouco de uísque no teu copo pra ver se afina.

– Como? – Almeida pareceu acordar de um sonho. – Não entendi.

– Não, nada não. Agora me diz... Quem foi a mulher que te inspirou pra essa letra? Foi Lígia mesmo?

– Ah, Tom, eu sou uma pessoa muito tímida. E, para piorar, carrego essa culpa terrível pelo que fiz na casa de Nara. Se você me permitir, vou ficar sem responder dessa vez.

– Então eu já sei. Você se inspirou na loirinha linda, a cantora amiga de Nara. – Vendo Almeida ficar completamente rosa, Tom recuou: – Tá bem, não vamos mais falar disso.

– Tom...

– Fala, Almeidinha querido! – Tom deixou o violão num canto e pegou um isqueiro para reacender o charuto.

– Estou pensando em ir a Brasília. Acho que preciso me ausentar um pouco do Rio para esquecer as coisas que fiz. E, além disso, estou ansioso para ver a nossa capital ainda em sua infância.

Tom ficou com a impressão de que o otimismo da parte final da canção de alguma forma contagiara Almeida. Quem sabe o havia deixado sensível à proposta que lhe fizera mais cedo. Mas achou melhor não perguntar.

– Pois vá! Juscelino tá quase terminando a obra do Alvorada. E eu vou mesmo sair em turnê. Quer que eu te faça uma carta de recomendação?

5

Almeida chegou ao Catetinho com a carta de Tom num envelope. Ali, no barracão de madeira de onde o presidente Juscelino Kubitschek despachava enquanto acompanhava as obras da nova capital, o redator de discursos saiu batendo de porta em porta à procura dele. Quando finalmente chegou ao fundo do corredor, enquanto a dobradiça da porta ainda rangia, o homem que estava sentado atrás de uma mesa de escritório lendo alguns documentos, sem tirar os olhos do papel, começou a falar:

– Entre, Almeida! Entra e bate a porta, pois temos muito a conversar. Bate forte porque a maçaneta tá ruim. E aí... gostando? Primeira vez em Brasília? – Juscelino falava empolgado, um sorriso estampado no rosto, com um ânimo contagiante até para Almeida. – Um ministro francês me perguntou como foi que consegui fazer tanta coisa assim durante um governo democrático. Ora... o que ele queria? Uma ditadura pra abrir a economia brasileira e valorizar nossa cultura? Um país que tem Oscar Niemeyer, Clarice Lispector e Tom Jobim não pode jamais deixar de ser livre. Aliás, o Tom, você sabe que ele me falou muito bem... Enfim, bem-vindo ao futuro do nosso Brasil!

– Bom dia, meu presidente. Obrigado por me acolher no... futuro.

– Pois é, rapaz, o Tom me telefonou. Não se preocupe com explicações. Estou sabendo de tudo. E, aliás, estava mesmo precisando de alguém como você pra me ajudar.

– Mas senhor presid...

– Deixe as formalidades pra lá! Me chame de você, e vamos trabalhar! É o seguinte: meu governo está chegando ao fim e tenho medo de dar cagada depois. A oposição me acusa de agir como um rei gastador. Dizem que sou arquiteto da desordem, um perdulário indomável, e que este barracão de obra é meu palacete. Inventam qualquer coisa pra me denegrir!

– Eu sei disso. Na realidade, presidente, a palavra *denegrir* já poderia parar de ser usada, não acha? Digo isso por todo o racismo que está impregnado nela, mas, bem, no futuro veremos isso... O fato é que há críticas razoavelmente menos polidas a Vossa Excelência. Até Celso Furtado, seu estrategista econômico, ele um dia vai me dizer que o senhor gastou muito além da conta em Brasília, gerando uma inflação que só daqui a três décadas vai se resolver. E a dívida externa que o senhor vai deixar? De fato, não é de se desconsiderar.

– Enfim, Almeida, lutei pra romper com a eterna submissão brasileira às potências estrangeiras, lutei contra o nosso subdesenvolvimento, lutei pra integrar o Norte e o Centro-Oeste ao resto do país, valorizei o povo brasileiro... mas estão querendo me atirar na lama da história, e o governador Lacerda, aquele crápula, não sai do meu pé com essa história de que botei o Brasil num "mar de lama". Daqui até o fim do governo não terei melhor oportunidade para me expressar do que na inauguração, mês que vem.

– Na realidade, se nada mudar, presidente, depois da inauguração de Brasília, o senhor jamais será ouvido.

– Sim, sei disso... Até a minha volta nas eleições de 65, serei obrigado a um grande silêncio para que não me acusem de intromissão no próximo governo. Mas não posso deixar as coisas esmorecerem, e por isso venho refletindo com muita cautela sobre o discurso que farei, apenas não encontro o tom.

– Mas o senhor disse que o Tom...

– Almeida, acorda! Não encontro o tom do meu discurso. Quer um café?

– Aceitaria uma cachaça, se não for incômodo.

Juscelino mandou a secretária trazer uma garrafa de Providência e serviu uma dose para cada um.

– Pronto! Vamos ver se isso te dá uma levantada. O que eu preciso, Almeida... É esse mesmo o teu nome, né?

– Pode me chamar de Almeidinha, presidente.

– Pois bem, Almeidinha, precisamos encontrar um jeito de eleger o marechal Lott, pois, se ele perder, o que vem depois é uma grandíssima cagada. E eu estou achando que ele pode perder.

– Eu sei, é verdade. Ele *vai* perder! Jânio vence de lavada, meses depois vem a renúncia, Jango assume e os militares o derrubam, torturam opositores e matam um monte de gente. O senhor sabe...

– Não sei de coisa nenhuma. Que horror, Almeidinha! Quanto pessimismo!

– Mas o senhor disse que me chamou aqui porque o Tom...

– Pare com isso de Tom pra cá, Tom pra lá! Essas tuas previsões configuram uma tragédia até pior do que sou capaz de imaginar. Meu medo não é esse, de jeito nenhum. O que me tira o sono é ser substituído por um demagogo que vem se apresentando como salvador da pátria.

– Exatamente.

– Mas salvar do quê? Além de tudo, Jânio foi um deputado federal irrelevante, que nunca apresentou nada, passava a maior parte do tempo viajando. Ele não tem projeto político, ainda que saiba jogar com a *opinião* pública.

– Eu sei do que o senhor fala, presidente. Jairo é exatamente assim.

– Que Jairo? É Jânio! O Tom me disse que você era um puta estrategista político, um gênio dos discursos... e você não sabe nem o nome do inimigo?

– Não, não... eu falava de outra pessoa, presidente. Pensei que o Tom também lhe tivesse contado esses outros fatos, isso que tem me acontecido nos últimos tempos... quer dizer, coisas minhas.

– Não, de maneira nenhuma. O grande maestro jamais faria fofoca. Apenas exaltou tuas qualidades de redator e sugeriu que eu contasse com tua ajuda.

– Ah, foi isso o que o Tom lhe disse?

– Claro, ele sabe dos problemas que enfrento. Mas, enfim, preciso de um discurso que mostre aos brasileiros que eles estão sendo manipulados por esse falso messias!

– Um *messias* manipulador também me apavora, presidente.

– Então, Almeidinha. Vamos lá porque o tempo é curto! Eu preciso de um discurso triunfal, algo que entre pros livros como o maior discurso de todos os tempos, algo que seja lembrado ao longo de todos os anos em que eu tiver que me afastar de Brasília. Talvez você possa mirar no centro, um discurso unificador, de centro mesmo!

– De centro, sim, mas jamais se renda ao *Centrão*, presidente! Eu preciso lhe dizer honestamente que tenho horror do *Centrão*. – Almeida seguiu, sem perceber que Juscelino não o compreendia bem.

– Mas que diabo é isso de *Centrão*?

– Eu sempre digo que o *Centrão* é pior do que a bosta de um jumento empacado na beira do Paranoá! O senhor vai entender um dia.

— Rapaz, quanto radica... Mas por que logo o meu lago Paranoá?

— Ah, não me leve a mal, de maneira nenhuma penso em tisnar o lindíssimo lago que o senhor construiu. Brasília como um todo representa o triunfo do homem moderno sobre a natureza, estou certo disso. A questão é que, quando um político precisa de apoio, ele corre o risco de aderir ao *Centrão*. Ao menos é o que temos visto aqui em Brasília nas últimas décadas, bem, o senhor já sabe...

Juscelino fez que entendeu, mas não compreendeu absolutamente nada, pois, apesar de Tom ter dito que Almeida era um sujeito especial, o presidente não podia imaginar que seu interlocutor tivesse a pretensão de prever o futuro. Devia estar delirando, ou apenas exagerando para conquistar sua confiança.

— Entendo, Almeidinha, o Tom me disse qualquer coisa, mas ainda nem inauguramos Brasília. Vamos lá... me ajuda com esse discurso!

— O senhor pode contar comigo, presidente. Com esse discurso, vamos inaugurar Brasília e lançar as bases para que o senhor volte a ser presidente em 1966! Me dê alguns dias...

Almeida sorriu seu sorriso de lagarto tímido, apertou a mão de Juscelino e saiu apressado.

6

*D*epois de dormir por algumas horas no quarto de um hotel onde não se lembrava de ter entrado, Almeida arregalou os olhos, atordoado com o barulho de obras e a fumaceira em volta da cama. Não sabia direito o que era aquela poeira acinzentada, mas não se preocupou. Ainda de cueca, debaixo de um lençol onde estava bordado *Hotel Nacional*, telefonou para o celular de Lígia.

– Meu bem, você está bem? Que saudade!

– *Meu bem* porra nenhuma! Que foi, Almeida? Cansou de comer a surfistinha?

Almeida ficou vermelho como um pimentão de Quixeramobim, imaginando que Lígia soubesse alguma coisa sobre aquela noite na casa de Nara, ainda que a loira fosse cantora e não surfista.

– O que é isso de surfistinha, meu bem? Só tinha músico na casa de Nara. Eu já lhe falei que estou no passado e não sei como vim parar aqui, mas bem sei que estou lidando com algumas coisas muito importantes, e retomando contato com a felicidade perdida do nosso povo. Agora já estou em Brasília, Lígia. E não tive nada com...

– Pois eu sei muito bem quando você mente! Posso até ver tuas sobrancelhas se levantando de tão nervoso que você tá... Posso te ver ajeitando os óculos também! Você foi visto saindo de um prédio no Leme.

– Mas eu não estive no Leme...

– O Licurgo e uns dois outros amigos teus que eu não conheço direito espalharam cartazes com a tua foto. Você agora é oficialmente um desaparecido. De vez em quando alguém liga pra polícia dizendo que viu um homem assim e assado, parecido com você. Mas fique onde estiver, não volte mesmo, não! O que interessa é que o Brasil tá entrando numa nova fase e você tá perdendo o bonde da história. Como você deve saber...

– Não, Lígia, por favor. Eu não quero saber de mais nada.

– Mas você sabe que o Jairo decretou...

– Não! O que é que ele está fazendo com o Brasil, Lígia? Não me conte!

– Ah, Almeida, para de gracinha. Você sabe muito bem que ele tá revirando o país, acabando com privilégios, revolucionando a educação, tirando todo o viés ideológico das artes, enfrentando os poderosos, acabando com o lixo da mídia mentirosa!

– Estou boquiaberto, Lígia. Como assim?

– Peraí... deixa eu continuar, Almeida! A coisa tá tão ruim nesse teu jornalismo que o Jairo só dá entrevista pro jornal do reverendo, ou você acha o quê? Acha que ele vai falar com a mídia lixo? Você não sabe que ele acabou com as faculdades públicas de Sociologia...

– Acabou com as faculdades de Sociologia?

– E de Filosofia também... Tá criando novas escolas militares. Ele não gosta de ideologia de sociólogo nem de filósofo comunista, sabe? E ele tem razão. Sociólogo é tudo esquerdopata maconheiro defensor de kit gay! O governo de Jairo é sem ideologia, bem centrado naquilo que importa, exatamente como você gosta. Ah, e ele trouxe o Moro pra caçar os corruptos.

– Mas o Moro, o juiz... ele não devia... Lígia, o Moro botou o Lula na cadeia sem os devidos ritos e comprovações, e beneficiou o Jairo ao tirar da disputa o político que seria o principal adversário dele. Agora vai ser ministro?

– Ministro não! Moro é nosso superministro! Você devia sair logo de seja-lá-onde-for esse cafofo em que se escondeu e experimentar um novo Brasil.

– Lígia, meu bem... você foi cara-pintada na época da faculdade. Esqueceu que a gente derrubou o Collor junto em 92? Você fumava maconha na casinha da Geografia, ainda que eu me preocupasse com aquilo... e fumava muito! Votou em Lula em 89, em FHC duas vezes, e de novo Lula em 2002, e assim por diante... Não me diga que você realmente aderiu ao Jairo?

– Olha, Almeida, o que me deixa mais intrigada é você ter desaparecido e agora querer me dar lição de moral. É verdade que o Jairo tá de amizade com um juiz lá de cima que pode salvar os filhos dele, especialmente o Jairo Dois. É verdade, todo mundo sabe disso. Mas e daí? Se os dois torcem pelo Palmeiras, que problema tem eles verem o jogo juntos? E contra o teu Campinense...

– Eu torço pelo Galo da Borborema...

– Não importa. Você critica o reverendo Jeroboão, né? É verdade que ele continua contando dinheiro, vestido que nem Caifás, espalhando pastores pelo governo. É verdade, Almeida! Eu sei que você vai dizer que o Brasil não mudou nada, que até piorou. Eu te conheço, você é um cético, cabeça-dura, pessimista desgraçado!

– Acalme-se, Lígia. Sou um realista romântico, você sabe...

– Eu sei, você sempre disse isso. O fato, Almeida, é que a mídia desonesta inventa tudo isso pra derrubar o Jairo e não deixa ele trabalhar. Se você tiver chance, olha o canal do Alexandre, tá tudo lá, muito bem explicado! Ou vê a turma do Augusto, a Ana Paula, o Guilherme... o Consta. Eles são a imprensa independente, que fala o que a grande mídia corrompida não fala. As coisas tão mudando radicalmente, o Brasil tá de cara nova, e a gente precisa mudar junto!

– Mas você...

– Tenho que me adaptar, querido. Ou eu entro no jogo ou o tanque passa por cima. Você esqueceu que a gente acertou a mudança e me largou sem um penny aqui em Paris? O cartão de crédito travou faz tempo! Como eu ia pagar as contas?

No meio da conversa, ainda perplexo com tudo o que Lígia lhe dizia, Almeida ouviu pelo telefone uma campainha, e depois algumas batidas suaves, como se alguém estivesse no hall do apartamento onde sua mulher morava em Paris. E, de fato, havia alguém atrás da porta. Pelo olho mágico, Lígia viu seu vizinho Jean-Jacques com um buquê de flores na mão.

Almeida ficou estarrecido, escutando o diálogo.

– *Bonjour, chérie*. É uma boa *horrra parra* lhe trazer estas *florres*?

Almeida irritou-se ao ouvir o francês falando aquele português ridículo. Ouviu passos. Estava certo de que o homem era muito bonito, musculoso e vestia um terno Armani. Almeida escutava alguns estalos, uns bateres de sapato de couro italiano no chão de madeira do apartamento, e também uns murmúrios. Estranhou tudo aquilo.

– Lígia, Lígia? O que está acontecendo, meu bem? Você se machucou?

Ela não ouviu. Estava na cozinha com Jean-Jacques e queria mesmo dar uma lição em Almeida. As flores tinham ficado pelo chão. O telefone, ainda largado, com o viva voz ligado. Sorte que Juju estava na escola. Aliás, não era sorte. Depois de alguns minutos, Lígia respirou fundo e pegou o telefone outra vez.

– Almeida, você ainda tá aí?

– Sim, Lígia. Um pouco preocupado, mas estou. – Almeida fez uma pausa e suspirou aliviado quando ouviu a porta do apartamento de Lígia bater. – O que foi...

– Nada.

– Mas Lígia...

– Era o pai de uma amiga da Juju. Ele sempre passa aqui depois da escola. É um francês *très gentil* – Ligia disse, forçando um sotaque. – Me traz baguete crocante e às vezes me dá uma mãozinha.

– Entendo.

– Acho que ele sente compaixão por mim porque eu não tenho amigos aqui na França, entende? E, obviamente, ele sabe que tô sem grana, que o pateta do meu marido sumiu.

– Mas... ele entrou? Eu ouvi uns sapatos se aproximando do telefone.

– Não, claro que não! Quer dizer... entrou um pouquinho, na cozinha.

– Como *um pouquinho*, Lígia? Ele ainda está aí? Deixe-me falar com Juju!

– A Juju tá na escola, Almeida, você não sabe que horas são? E além do mais eu preciso ir. Cuida da tua putinha que eu administro as coisas aqui em Paris.

– Espero não demorar, meu bem. Volto assim que possível.

– Tá certo, Almeida. Agora vou desligar porque ainda preciso tirar essa maquiagem. O reverendo Jeroboão abriu uma nova filial aqui e tem gente me esperando pro culto.

7

almeida remoía um profundo sentimento de perda. Estava começando a aceitar que precisaria se esforçar muito para recuperar a confiança de sua mulher quando finalmente entrasse num elevador e voltasse dos Anos Dourados. Talvez ele e Lígia pudessem retomar os encontros de casais com Cristo na igreja do querido padre Omar. Não era má ideia. Absolutamente! Sentia-se culpado. Uma culpa que lhe descia pelo peito e tomava conta do corpo inteiro.

"Se tivesse ficado quieto... Se não tivesse inventado de me mudar para Paris... Se ao menos não tivesse atendido ao telefonema de Tom Jobim..."

Almeida se perguntava se não teria sido mais fácil se mobilizar para fazer alguma coisa e tentar evitar a tragédia em 2018. Poderia, por exemplo, ter articulado algo inteligente nos bastidores para impedir a vitória de Jairo no segundo turno.

Talvez...

Almeida sempre vira Jairo como um político menor que a pulga do cavalo do marechal Deodoro, alguém ainda menos expressivo e sem projeto que Jânio Quadros. Mas, por outro lado, não se esqueceria jamais do controle que o governo Lula quis impor à imprensa, do Mensalão que comprava apoio no Congresso e de todo o conluio do PT com as empreiteiras... e ainda aquela lambança na Petrobrás! Não queria de jeito nenhum que voltassem a assaltar o país, ainda que soubesse que nos governos anteriores não tinha sido muito diferente. E tinha sido por isto, depois que erros gravíssimos da esquerda entregaram o Brasil nas mãos de Jairo, que Almeida decidira se mudar com a família para Paris.

Bem, aquele filme de Woody Allen a que assistira na véspera certamente exercera alguma influência. Mas ele não conseguia acreditar no rumo que as coisas estavam tomando. E sentia-se duplamente decepcionado: com o futuro e com o passado.

– Quanto pessimismo! – falou sozinho.

Mesmo com Brasília quase pronta, Juscelino parecia incapaz de fazer seu sucessor. Jânio crescia na preferência do eleitorado. As coisas pareciam seguir mesmo conforme os livros de história contavam.

Almeida, como sabemos, era um grande estudioso da política brasileira, considerava praticamente um dever cívico o seu hábito de analisar discursos. Até mesmo alguns menos importantes o entretiam por horas bastante agradáveis nos fins de semana. Por isso, conhecia perfeitamente a fala de cada um dos ex-presidentes brasileiros. E tinha um interesse especial pelo caso, a seu ver, bizarro, da presidência de Jânio. Sabia de cor o texto da renúncia.

"Aquela frase em que disse que *forças terríveis* se levantavam contra ele, e depois o agradecimento de *forma especial* às Forças Armadas, isso nunca me convenceu... está absolutamente mal explicado", costumava dizer a Lígia, certo de haver descoberto as forças terríveis a que Jânio se referira ao anunciar sua saída repentina da presidência da República.

Mas ainda faltavam meses para a renúncia. Muito antes, no fim daquele 1960 em que ele se encontrava, haveria eleição. Almeida começou a imaginar que poderia bolar um plano para alterar o *continuum* espaço-tempo, evitar a posse de Jânio e, ao mesmo tempo, impedir o vice João Goulart de se tornar presidente.

– Se eu me livro de Jânio e de Jango, acabo com qualquer desculpa dos militares para o Golpe, interrompo o fluxo inexorável dos acontecimentos! Numa mesma pancada, evito também a tragédia que foi o segundo turno de 2018 e impeço a vitória de Jairo! – Almeida murmurou sozinho, e seguiu caminhando pela Esplanada dos Ministérios, ainda em obras, a poucos dias da inauguração da nova capital. Nem percebeu, mas era a primeira vez que levava em consideração a sugestão que lhe fora feita por Tom: tinha algo a realizar. E ainda acabava por pensar, também pela primeira vez, que voltara ao passado para uma missão especial: consertar o futuro do Brasil!

Sentiu uma pressão na cabeça, como se houvesse uma mão enorme a lhe apertar as têmporas, e um peso insuportável sobre os ombros. Era, em parte, o sentimento de culpa por haver traído Lígia. Mas naquele momento o peso aumentava. Almeida se perguntava por que, afinal, estaria ele, um mero redator de discursos desconhecido das massas, tentando interferir nos rumos da história.

— Não sou candidato a coisa nenhuma, pelo contrário — resmungou, para logo mudar de tom. — Mas, se eu puder ajudar...

Almeida imaginava que espíritos pirracentos o rondavam e temia que eles pudessem querer atordoá-lo. Acreditava piamente nessa possibilidade, algo alimentado durante anos de sessões, búzios, leitura de cartas, trabalhos e limpezas. Tinha sido num tempo difícil de seu casamento com Lígia, quando um adversário fizera macumba para acabar com o lindo amor deles dois, que Almeida aceitara o conselho de um colega baiano e procurara mãe Frederica para lhe dar proteção.

Agora, se havia alguma força maligna travando seu caminho, era maior que da outra vez. Sem mãe Frederica por perto, lhe pareceu mais que lógica a ideia de jogar uma dose elevada de sal grosso e ervas na cabeça para espantar os maus espíritos!

Caminhando mais um pouco, encontrou um armazém improvisado no meio de um edifício em construção e comprou uns maços de alecrim e manjericão e três sacos de sal para churrasco.

Chegando ao hotel Nacional, entrou debaixo do chuveiro e esvaziou um saco sobre a cabeça, deixando a água fria correr para lavar tudo que o atormentava. Jogou depois o segundo saco, e o terceiro. Não eram bem assim os trabalhos do candomblé e, além de tudo, era um exagero aquela quantidade de sal. Almeida sabia de tudo isso, mas também sabia que o seguro morreu de velho. Entrou com tudo na banheira com sal, manjericão e alecrim.

Ao sair renovado daquele banho, o redator de discursos concluiu que lhe faltavam agora os conselhos de sua boa mãe de santo. Só ela poderia acender a luz que iria tirá-lo das trevas em que se metera depois da última conversa com Lígia e, mais que tudo, iluminar o caminho que começara a ganhar forma depois da sugestão que lhe fora feita por Tom. Só mãe Frederica poderia lhe apontar um jeito de impedir a renúncia ou, antes disso, a vitória de Jânio nas eleições que aconteceriam no fim daquele ano.

8

empre polido, Almeida começou o telefonema dizendo palavras lisonjeiras à sua mãe de santo:

– Sim, sim, minha vida mudou por completo... como previsto. – Mas, ansioso, logo foi ao assunto: – Lhe pergunto, mãe Frederica, é verdade que o Brasil está tomando esse rumo desconcertante? Jairo está mesmo acabando com as liberdades do nosso povo?

– Não se meta com isso, filho – mãe Frederica falou assustada, olhando para os lados como se estivesse sendo vigiada. – Os búzios me dizem que o melhor que você faz é não se meter com essa gente.

Nessas horas, o paraibano Almeida deixava-se contagiar inteiramente pelo sotaque baiano.

– *Oxe*! Mas que exagero é esse, minha mãe?

– Eu mesma... quando saio na rua agora, é só com um vestido preto abaixo do joelho e uma Bíblia na mão. É um disfarce, me envergonho, mas o que é que eu vou fazer?

– Até aí, eu entendo, tudo bem.

– Tudo bem nada, filho! Eles não gostam de preto e muito menos macumbeiro. Estão perseguindo até católico, cê acredita? O Jairo se converteu nas águas santas do Jordão. Virou a túnica do avesso! E agora quem não segue a mesma religião que ele, não é militar governista nem puxa-saco, afe... esse aí não tem vez no Brasil.

– É, mãe Frederica. Imagina se você ainda fosse lésbica?

– O pior é isso, filho! – Mãe Frederica sentou-se num banquinho e pôs a mão na cabeça, em desespero. – Eu sou preta, macumbeira, professora universitária, e todo mundo aqui em Salvador sabe que nunca namorei homem. Vão fechar meu terreiro a qualquer momento.

– Ahn... eu nunca soube, mas, claro... enfim... imagino que a polícia a proteja, a Justiça, o Supremo, certo? Ao menos não há nada que eles possam fazer legalmente contra você. Ainda vivemos numa democracia, não é mesmo?

– A seita do reverendo Jeroboão tomou conta. Eles já têm pastores mamando em praticamente todas as tetas ministeriais. Os soldados do reverendo ocupam cargos também nos principais ministérios do país, inclusive um apóstolo deles tá cotado para ser ministro do Supremo. Jairo quer um ministro terrivelmente conservador, um pau-mandado pra defender o retrocesso. Afe! Que coisa desrespeitosa e preconceituosa dizer que a corte principal do país precisa de alguém terrivelmente qualquer coisa. Do jeito que as coisas tão indo... vou acabar *terrivelmente* crucificada no Pelourinho.

– Lamento, minha mãe...

– Já me proibiram de dar aulas na faculdade, o mesmo aconteceu com a irmã da Marielle, cê viu? Depois que assassinaram ela, proibiram a Anielle de dar aulas. E por que você acha que o deputado Jean Willys, que atirou um sapato no Jairo por puro nojo das atitudes do sujeito, por que foi que ele se exilou em Barcelona? Porque corria sério risco de ser assassinado também, por milícia ou por esses fanáticos.

– Sim, sim – Almeida afirmou, assustado. – Lembro-me ainda com pavor de quando uma desembargadora de cujo nome prefiro não me lembrar fez acusações falsas a Marielle e disse que Jean Willys merecia ser fuzilado. Ainda que, nas terríveis palavras que a juíza usou, "não valha a bala que o mate e o pano que limpe a lambança".

– Pois bem... Agora, o que tá acontecendo é o seguinte: tem aluno delatando o que se diz em sala na esperança de que as milícias venham me punir. Até pensei em me exilar, mas não tenho como deixar as pessoas que dependem de mim aqui no terreiro, e também não tenho pra onde ir. Perdi o título de professora e fui escalada como assistente de um cabo que dá aula de Moral e Cívica.

– Um cabo dando aula?

– Exatamente! Se eu não aceitasse, seria demitida por justa causa, você acredita?

– Entendo, mãe Frederica. Que situação absolutamente lamentável, uma tragédia humana em todos os aspectos. Mas é exatamente isso que eu estou descobrindo, que talvez eu seja capaz de ajudar em alguma coisa. É essa a razão do meu telefonema.

A fala de Almeida foi interrompida por um estrondo. Pelo celular, ele ouviu a confusão: dois rapazes vestidos com a camisa da Seleção Brasileira de futebol haviam entrado no terreiro. Um brandia uma cruz metálica como se fosse um machado. O outro empunhava um trezoitão. Mãe Frederica se levantou apressada, deixou o telefone em cima da mesa, e Almeida continuou ouvindo, apavorado.

– Macumbeira-sapata-e-satanista! – gritou um deles, levantando a cruz na direção de mãe Frederica. – Somos soldados da Sinagoga Jeroboônica da Parúsia, leais ao reverendíssimo sacerdote de Deus, nosso pai, Jeroboão!

– Você tá fazendo macumba pra derrubar nosso presidente – o outro acusou, apontando o .38 na direção de mãe Frederica. – Pior ainda, você pragueja contra o reverendo na faculdade!

– *Oxe*, rapaz. Acalme-se! – mãe Frederica falou com a voz mais masculina de seu repertório de ialorixá, uma voz fantasmagórica. – O que eu falo no privado é problema meu. Baixa o cano, vagabundo! – E então se aproximou dos invasores. – Eu já fui obrigada a largar a Sociologia, parei com as minhas palestras sobre a tradição afro-brasileira e saí do Twitter. O que mais vosso senhor cruel e ganancioso deseja de mim?

Do outro lado da linha telefônica, Almeida arregalou os olhos e ajeitou os óculos sobre o nariz. Ouviu o som de vidraças se estilhaçando, tábuas se quebrando. Pareceu-lhe também que alguém tinha destruído alguma coisa grande perto do telefone, pois o barulho lhe doeu nos ouvidos.

Pensou em desligar, mas não podia.

Era, talvez, a única testemunha daquela barbárie. Não ocular... auditiva, mas era! Esperava ouvir um tiro a qualquer momento.

Almeida tirou o celular do ouvido e olhou para ele com medo. Concluiu que, estando em 1960, não correria risco algum de ser atingido por algo que só acontecia em 2019. E ficou ouvindo o pau quebrar no terreiro.

Alguns minutos depois, mãe Frederica voltou ao telefone, ofegante.

— Foi a segunda vez que esses fanáticos entraram aqui ameaçando me matar. Pisotearam meus búzios, você acredita? Arrebentaram o armário onde eu guardo meus santos. E ainda quebraram a imagenzinha da minha Pombagira!

— Desaforados.

— Fui obrigada a pegar os vagabundos na porrada! E o Rubão nem tá aqui hoje pra me ajudar. Minha sorte é que o revólver dos infelizes travou.

Os seguidores do reverendo ainda estavam no chão do terreiro, e mãe Frederica percebeu que eles tinham parado de se mexer. Viu sangue escorrendo pelos azulejos, e disse, numa voz embargada, muito delicada e chorosa:

– Eu arrebentei com eles, filho! Os fanáticos tão caídos aqui... Minhas galinhas tão ciscando os olhos deles. – Mãe Frederica entrou em desespero, berrando e chorando ao mesmo tempo: – DEI TANTA PORRADA... MAS TANTA... QUE ACHO QUE, NÃO SEI... O QUE É QUE EU FAÇO, ALMEIDINHA?

– É melhor você sair daí agora mesmo, mãe Frederica!

– E faço o que, filho? Matei os feladaputa! – A mãe de santo esforçou-se para se acalmar, bebeu a cachaça de um copo que tinha deixado para suas entidades, mas seguiu chorando convulsivamente. – Vou sair... sim... você tem razão! Vou me refugiar na casa de Ivete.

– Cale-se! Cale-se, mãe Frederica. Lígia me disse que grampearam os telefones no país inteiro. Estou pensando aqui que tudo o que você fez foi em legítima defesa, e que tem a lei ao seu lado. Mas na realidade isso pode não contar muito porque você é afro-brasileira, ialorixá, e agora estou sabendo que é também homossexual num país governado por um homofóbico. Ainda mais se o seu caso cair no colo do juiz errado. Você pode ser acusada de necromanta, ideóloga de gênero, comunista, tudo o que apavora a turma do Jairo e do reverendo Jeroboão. Teria que torcer para ser agraciada com a santa lucidez de Carmem Lúcia. Mas, bem, nem vamos pensar nisso!

Almeida andava de um lado para o outro em seu quarto de hotel, ainda de cueca, algumas pedras de sal presas às mechas onduladas do cabelo. E seguia falando:

— Não mande mensagem de Whatsapp que eles pegam também. Fuja para onde você se sentir segura. Vá logo, mãe Frederica! Me telefone quando as coisas se acalmarem!

Almeida sentou-se na cama, deixou o celular em cima da mesinha de cabeceira e ficou ali, suando sal, os olhos ardendo, ervas nas sobrancelhas, em total estado de choque.

Quando recuperou o fôlego, lavou-se e foi até a janela deixar que o vento lhe batesse no rosto. Uma multidão com vassouras em punho passava em carreata diante do hotel. Do parapeito de seu quarto no primeiro andar, o redator de discursos sentia-se num camarote vip.

No carro conversível que puxava a carreata, ia um homem de terno, magro e sem graça, um bigodinho insosso e um sorriso que imediatamente atiçou a memória de Almeida.

— Meu São Jorge! — Ele fez uma demorada pausa de espanto, e seguiu falando sozinho: — É Jânio! Por Cristo... por Oxóssi... não posso acreditar no que meus olhos teimam em ver!

Almeida silenciou mais uma vez em choque, quase paralisado, pois os acontecimentos seguiam exatamente como nos livros, sem qualquer mudança. Jânio Quadros conquistava popularidade e em breve seria eleito presidente.

Ainda de cueca, entrou no banheiro, novamente jogou sal grosso sobre a cabeça e deixou a água gelada correr. Não se secou direito. Vestiu a mesma camisa branca de botões e o mesmo terno com a gravata preta de todo santo dia e saiu apressado para o Palácio do Planalto. Naquele 21 de abril, Juscelino iria inaugurar sua grande obra.

9

rasília, Brasília, Brasília. Quando Almeida ouviu a orquestra tocando e o coral entoando a música que Tom e Vinicius haviam feito para aquela inauguração, teve vontade de chorar. E chorou mesmo. Como era possível que os mesmos compositores que em breve criariam "Garota de Ipanema", especialmente Tom, seu amigo querido... como era possível ele ter feito uma "Sinfonia" tão triste? Estaria prevendo alguma coisa do futuro?

Almeida lembrou-se de que, numa das idas à casa de Tom, o maestro lhe dissera que iria tocar um trecho da "Sinfonia da Alvorada". Mas a memória lhe falhava... Talvez Tom nem tivesse chegado a tocá-la. O fato era que nada do que ouvira lhe parecera melancólico como a música que ouvia naquele momento, quando dezenas de milhares de brasileiros convergiam para a Praça dos Três Poderes, ansiosos pelo momento solene.

Talvez a tristeza que Almeida sentia ao ouvir a "Sinfonia" fosse apenas alguma espécie de trauma, fruto de seus conhecimentos sobre o futuro turbulento de Brasília. Ou... seria a responsabilidade de interferir naquela história toda o que já começava a lhe pesar sobre os ombros?

Vendo aquele cenário, depois de muito refletir, Almeida concluía que, sim, tinha uma missão a cumprir, algo que jamais lhe passara pela cabeça: evitar que Brasília e a democracia que ela fora projetada para sustentar fossem desfiguradas nos anos seguintes.

E assim, depois de muitos dias amadurecendo a sugestão que Tom lhe dera, o redator de discursos finalmente teve certeza de que a razão de ter voltado ao passado estava relacionada com a possibilidade de mudar o futuro. Só não fazia o menor sentido aquilo... aquilo de Tom dizer que ele era "*o candidato ideal*".

– Não tenho a metade do talento político de um Juscelino! – Almeida murmurava, no banco de trás do táxi que o levava pelas ruas lotadas de Brasília rumo ao Palácio do Planalto. – Nem um décimo do carisma dele, com essa minha barba desgrenhada, este terno amassado! Não serei candidato a coisa alguma. Tom que me perdoe, mas não tenho esse dom!

Almeida via o povo nas ruas, muita gente carregando bandeiras e cartazes, num clima de euforia como ele não se lembrava de algum dia ter visto.

– Preciso montar uma estratégia para evitar a vitória de Jânio e romper o fluxo dos acontecimentos. E estou de fato em posição privilegiada para fazer isso! Algo que eu possa executar o mais rapidamente possível. Sim, é exatamente isso! Não serei candidato a coisa alguma, obviamente, mas posso influir nos rumos do Brasil com a única coisa que faço de maneira até razoável: meus discursos!

Almeida ia vendo o povo, ignorando o taxista, e murmurando:

– Tenho menos de seis meses até a eleição de Jânio, um ano e meio até a posse de Jango e quatro anos até o Golpe. Evitá-los-ei!

Almeida terminou o murmúrio praticamente imitando Jânio. Era mania sua aprender o jeito de falar dos políticos para escrever seus discursos! Curtia aquele momento em que entrava na pele do "personagem" e começava a pensar como ele. E então, tentando meter-se na cabeça do homem que pretendia derrotar, Almeida mimetizava seu português impecável e risível.

– Consegui-lo-ei!

Pois ele sabia que, se nada fizesse, no começo do ano seguinte aquele mesmo lugar testemunharia uma cerimônia, essa, sim, fúnebre como lhe parecia a "Sinfonia": a posse de um presidente fraco que, por irresponsabilidade, capricho ou problemas mentais, acabaria encaminhando o país ao caos, que levaria à ditadura e ao resto todo que Almeida conhecia de cor: 21 anos de generalato, meio mandato do caçador de marajás, meio de Itamar, dois de FHC, dois de Lula, um e meio de Dilma, meio de Temer e, depois, aquela eleição de 2018 que terminaria com um resultado tão insultante que ele decidiria pelo exílio em Paris.

Mas, enfim, algo tinha acontecido depois da visita que fizera a mãe Frederica: a volta a 1958... as conversas com Tom... todos aqueles encontros, a loira, e agora...

Brasília,

Brasília,

Brasília.

A "Sinfonia" ecoava pela nova capital e lhe parecia tão triste que Almeida pensava que em breve seria usada pelos militares. Ironia. Ele mesmo ria de seu pensamento sarcástico e injusto com os geniais compositores. Mas os sons que ouvia pela janela do táxi lhe soavam inadequados. "Ou, pior ainda, um som de velório no dia do nascimento de Brasília." Almeida gostava de paradoxos.

Havia vozes misturadas à orquestra, vozes que pareciam ser dos locutores de uma rádio oficial. Mas não... Eram Tom e Vinicius.

Sessenta mil candangos foram necessários...

E no meio da música, enquanto a orquestra tocava, alguém se encarregara de reproduzir o trecho de um discurso de Juscelino, finalmente tocando o coração de Almeida.

"Deste Planalto Central, desta solidão que em breve se transformará em cérebro das altas decisões nacionais, lanço os olhos mais uma vez sobre o amanhã do meu país e antevejo esta alvorada com fé inquebrantável e uma confiança sem limites no seu grande destino."

Almeida admirava aquele discurso a ponto de tê-lo decorado durante o mestrado. Mas agora se perguntava: "a que 'grande destino' Juscelino se referira no discurso anos antes, se uma ditadura estava a caminho?".

Naquele 21 de abril de 1960, Almeida desceu do táxi, subiu correndo a rampa do Planalto, querendo chegar logo ao presidente. Ao ficar de novo diante do palácio presidencial, lembrou-se de muitos momentos, bons e extremamente difíceis, que passara ali quando era redator de discursos de outros presidentes. Lembrou-se também do que costumava dizer nos momentos mais amenos, com um cafezinho na mão: "Nosso palácio é monumental visto de longe, mas uma bosta quando o vemos de perto".

Ao passar pela porta, vislumbrou mais uma vez aquelas salas com janelas pouco confortáveis, que não podiam ser abertas por causa de um extremo rigor arquitetônico.

Quando finalmente alguém deu ordens para que os soldados o deixassem entrar nos recintos presidenciais, quando, ainda esbaforido, encontrou JK sorridente num sofá, Almeida tirou do paletó as folhas dobradas, um pouco amassadas, nas quais datilografara o discurso que escrevera para a inauguração.

– Aqui está, presidente. Se o senhor seguir minhas palavras à risca, conseguiremos romper o fluxo inexorável do tempo e modificar o *continuum* da história. – Ele acabara de formular aquela tese, mas soava perfeita. – Sim, romperemos o *continuum* espaço-tempo, aquilo que já aconteceu, enfim, o fato é que, se tudo der certo, o marechal Lott se elege, Jânio torna-se prefeito de Catanduva e o senhor volta à presidência nos braços do povo em 1966.

– Basta eu ler esse discurso? Basta isso para que possamos romper esse *continuum* de que você fala e ver todos os meus sonhos se realizarem? – Juscelino perguntou com um sorriso paternal no canto da boca. – Você é vidente, futurólogo ou o que, Almeidinha?

– Digamos que eu seja uma pessoa que exerce influências no futuro. O Tom não lhe falou nada?

– O Tom me disse algo, sim, mas não exatamente isso.

– O senhor precisa acreditar em mim! – Almeida esbanjava uma confiança que poucas vezes tivera. – Suas palavras neste discurso farão pelo futuro de nosso país mais que todas as obras majestosas desta nossa linda capital, mais que o traço de Niemeyer, mais que as harmonias mágicas do maestro Jobim... naturalmente não me refiro à "Sinfonia", me perdoe... mas, enfim, mais que qualquer coisa, as palavras que o senhor proferir neste dia histórico terão o efeito de mudar o futuro e evitar que o Brasil entre numa ditadura sangrenta que, no frigir dos ovos, nos entregará ao Jairo.

– Você quer dizer... ao Jânio?

– Exato, presidente. É exatamente isso. O senhor não pode improvisar hoje. Precisa ler *ipsis litteris* o que escrevi. Jamais criei um discurso tão importante. E minhas palavras... suas palavras... minhas palavras saindo de sua boca poderão salvar a democracia brasileira!

– Deixe comigo, Almeidinha! Me dê aqui essas folhas.

– Ah, e não se esqueça de ler as instruções que coloquei no alto da página. São profundamente importantes. Referem-se a um Opala preto que o senhor usará em 1976. Não deixe de ler!

Juscelino guardou aquelas folhas amassadas no bolso esquerdo do paletó e pediu licença. Precisava se reunir com alguns ministros antes do grande momento.

Brasília estava apinhada.

O povo havia viajado de muito longe, e por muitos dias, em ônibus e caminhões, para levar as mais diversas mensagens de otimismo à inauguração histórica.

Quando anoiteceu e as luzes se acenderam para iluminar a catedral, Almeida estava novamente no meio da multidão, que agora era muito mais gente, um mar. Trazia pendurado no pescoço um binóculo camuflado que lhe permitia ver de perto o rosto de Juscelino. O redator do discurso decisivo ficou extremamente nervoso ao perceber que as folhas de papel do lado esquerdo do paletó do presidente estavam amassadas, quase voando.

Os ventos do leste haviam chegado com força incomum para um dia de abril. Enquanto o paletó do presidente balançava, muita gente no palco o cumprimentava, e o beijava, e o abraçava, e roçava naqueles papéis que pareciam prestes a decolar.

Almeida suava tanto que sentia o corpo inteiro molhado. Precisava chegar ao palco para evitar que a esperança voasse. Começou a pedir licença, mas ninguém se movia naquela praça completamente lotada e, obviamente, ninguém estava disposto a perder o lugar. Inquieto, mas, ao mesmo tempo, mantendo a inabalável gentileza, incapaz de cometer uma grosseria, Almeida percebeu que havia uma única pessoa transitando com liberdade pelo meio do povo: um vendedor de biscoitos Globo.

"Biscoito Globo em Brasília?"

Almeida não perdeu tempo com raciocínios ilógicos. Aquele ambulante baixo e sem camisa levava um saco plástico enorme sobre o ombro e via as pessoas lhe abrirem caminho. Quando finalmente alcançou o ambulante, Almeida perguntou, afobado:

– Quanto é o biscoito?

– Trinta cruzeiros.

– Me dá todos. Quantos você tem aí, amigo?

O ambulante baixou a mercadoria e começou a contar.

– Três, seis, nove...

– Ei, moço! – Um garoto se aproximou. – Me dá dois!

– Sessenta cruzeiros. – O ambulante entregou dois pacotes.

– Está bem, agora chega! Não venda mais nenhum. Estou faminto. Quero todos!

– Me dá dois contos e pode levar.

O ambulante ia rasgando o grande saco plástico quando Almeida o interrompeu, apressado:

– Não rasgue! Eu quero assim mesmo.

– Tá bem, leva! – disse o ambulante. – Eu quero é ver o discurso do Juscelino.

– Eu também!

Almeida pendurou o binóculo num ombro, colocou o saco cheio de biscoitos sobre o outro e saiu gritando:

– Biscoito Globo! Biscoito Globo!

Uma mulher pediu dois pacotes e abanou uma nota de cem cruzeiros. Almeida não tinha troco.

– Não precisa pagar. Viva a democracia!

Com o saco sobre o ombro, Almeida foi avançando facilmente em direção ao presidente. Cada vez que alguém lhe perguntava o preço, ele dava um pacote de graça.

– JK 65! Olha o biscoito Globo! JK vai voltar!

Uma senhora ouviu o grito de Almeida e puxou a música:

– *Como pode um peixe vivo viver fora da água fria...*

Almeida apoiou o saco no chão, cantou o resto da música abraçado à senhora, e quem estava em volta se juntou a eles:

– *Como poderei viver, como poderei viver, sem a sua, sem a sua, sem a sua companhia.*

Ele logo se recompôs, endireitou o paletó e seguiu.

– Olha o biscoito Globo!

Foi assim que Almeida atravessou a multidão e alcançou uma grade, a poucos metros de Juscelino, onde parou.

Assim que deixou o saco quase vazio no chão e conseguiu enfim observar o presidente de perto, percebeu que os papéis já estavam debaixo dos sapatos dele.

Juscelino apalpava o bolso, sem olhar, e não encontrava nada. Apalpou o bolso do outro lado do paletó, acabou tirando dali um outro papel, uma única folha muitas vezes dobrada. Não lhe restava alternativa: sem o discurso de Almeida, se ateria ao rascunho que ele próprio fizera, deixado ali apenas para o caso de mudar de ideia.

Almeida ficou pálido como as areias de sua Paraíba. Os lábios pareciam ainda mais finos e brancos. Os olhos desencontraram-se, perdidos no infinito, e ele desabou no meio do povo.

Uma jovem com os seios esmagados num colã tentou ampará-lo, não conseguiu, e começou a gritar:

– Ambulância! Uma ambulância, pelamordedeus!

– Tem um político caído aqui!

Um sujeito magro agachou-se e segurou no queixo de Almeida, como quem analisa um morto.

– Sei não, ele tem cara de corretor de seguros. Mas tá morto sim! Ou tá desmaiado.

– Alguém chama a porra de uma ambulância!

Almeida não ouviu o discurso de Juscelino. E só ficou sabendo do desfecho horas depois de acordar, quando convenceu uma enfermeira a lhe trazer um exemplar já folheado do recém-fundado *Correio Braziliense*.

Deitado numa maca no corredor do hospital público, com o jornalão quase em cima do rosto, Almeida descobriu que o presidente não havia lido nem mesmo o discurso original. Improvisara. E não dissera palavra alguma a respeito dos perigos de Jânio Quadros. Não alertara o povo sobre o risco de Jânio renunciar, como já havia ameaçado inúmeras vezes quando era governador de São Paulo. Não falara nada sobre os perigos do populismo irresponsável, e muito menos a bela frase que Almeida passara horas cunhando, e que ele repetia baixinho na maca, como se ainda fosse possível mudar a história:

– "Se o Brasil quiser viver eternamente na felicidade perdida de 1958, não será pelo ódio nem pela destruição do que conseguimos até hoje, mas, sem dúvida alguma, por uma grande..."

Antes de concluir a frase que nunca foi dita, Almeida amassou o jornal. JK perdera sua última oportunidade de avisar ao povo que, se Jânio fosse eleito, o vice seria Jango, e Jango assumiria, os militares o derrubariam, e o Brasil entraria num período de repressão, tortura e subserviência aos Estados Unidos. E JK também não ficou sabendo do incidente com o Opala, o dito "acidente", que lhe tiraria a vida anos mais tarde.

– Por Cristo... por Oxóssi!

O redator frustrado caiu desmaiado outra vez.

10

Almeida acordou muito sonolento, demorou a abrir os olhos, ainda lamentando profundamente que aqueles papéis tivessem escapado do bolso de Juscelino. Depois de ter certeza de que não conseguiria mais dormir, tateou sobre a cabeceira, encontrou os óculos, olhou para o relógio digital e descobriu que passava das dez da manhã. Não se lembrava de ter saído do hospital. Mas, enfim, susto mesmo ele tomou quando se virou para o outro lado e viu, estirada, como uma escultura perfeita, a cantora loira amiga de Nara Leão.

Num só impulso, Almeida se sentou na cama e esfregou os olhos por debaixo dos óculos. A coisa mais linda que ele já vira passar dormia nua, de costas para ele, sem lençol, sem nada a nublar a visão magnífica que o fazia esquecer qualquer coisa.

Manhã... tão bonita manhã.

Aquela canção lhe veio à cabeça, e seguiu tocando em sua mente, alternando-se com pensamentos ora românticos ora puramente sexuais. Quando enfim conseguiu tirar os olhos daquele corpo estonteante, Almeida perscrutou o quarto e teve certeza de que não estava nem no hospital nem no hotel Nacional. Por uma fresta da janela, viu que não estava nem mesmo em Brasília. Impossível! Mas, por outro lado... aquele mar, aquele barulho de ondas, até a umidade do ar... aquilo era muito bossa nova!

– *Rio, seu mar, praias sem fim. Rio você foi feito pra mim* – Almeida cantou quase num sussurro, impressionado com a semelhança entre sua voz e a de João Gilberto. Pensou que a loira não iria ouvi-lo, mas ela acabou despertando. Enquanto a loira se mexia na cama à procura de algo para se cobrir, ele, olhando debaixo do lençol, descobriu que também estava completamente nu. Envergonhou-se. Levantou-se apressado, catou as roupas no chão e correu até o banheiro.

Ao sair do banho, vestindo apenas sua cueca e a camisa branca de botões, olhou por uma fresta da porta do banheiro e viu que a loira também já estava vestida, calçando um sapato preto de salto alto e pegando a bolsa para sair.

– Ei, moça... espere – ele disse timidamente, por trás da porta entreaberta. – Aon... aonde você vai?

– Deixa eu ir... preciso andar.

– Mas já?

– Tenho que resolver umas coisas.

Almeida enfim tomou coragem e saiu do banheiro.

– Você... você não quer almoçar? Podemos ir aqui perto no Fasano. – Ele foi vestindo o terno com pressa, meio que tentando esconder as pernas quase sem músculos.

– *Aonde* você quer ir?

– Ah, não, nada. – Lembrou-se de que não havia Fasano em Ipanema em 1960. – Vamos ao Mau Cheiro?

– Eu preciso mesmo andar.

– Está bem, está bem, não foi uma boa proposta. Mas... a gente se encontra de novo?

– Você sempre me acha, não é, Almeidinha?

Depois que a loira lhe deu um beijo estalado na boca e bateu a porta do quarto, Almeida sentiu as têmporas latejando e botou a mão na cabeça. Não era possível que tivesse traído Lígia outra vez! Procurou a carteira, o celular... Estava tudo escondido debaixo de um cobertor no armário. Ficou aliviado, pois, se a loira tivesse visto aquele iPhone-X, com certeza descobriria que Almeida não era um sujeito comum, ou melhor, que vinha de um outro tempo.

Ele estava no corredor, quase chegando à escada, quando o telefone tocou.

– Almeidinha?

– Tom?

– Meu chapa, você nunca mais apareceu. O que é que tem feito? Eu digo... além de dormir com a garota majestosa.

– Pare com isso, Tom! Mas... como você sabe?

– Eu sei de muita coisa, rapaz. As ruas de Ipanema falam! Soube que você foi bem recebido pelo Juscelino em Brasília. Ele me contou a história do discurso... Incrível! – Tom riu, divertindo-se. – Mas a verdade é que ele saiu perdendo. Se lesse seu discurso, sem dúvida alguma, voltaria presidente em 65. Só eu sei o poder das tuas palavras, Almeidinha!

– Tom...

– Por falar nisso, estou aqui no Beco das Garrafas. Por que é que você não dá um pulo aqui?

– Hein?

Almeida estranhou que o hotel não tivesse recepção. Ou teria saído pela porta dos fundos? Hesitou. Estava escuro. Dobrou à direita na Nossa Senhora de Copacabana, atravessou a Belford Roxo e mais uma rua até chegar ao famoso beco carioca, na rua do Gregório.

Foi entrando em êxtase, o lábio fino abrindo aquele sorriso imenso. Ouvia-se um piano tocando algo entre o jazz e o samba, e logo ele teve certeza de que era Johnny Alf.

Vê se mora... no meu preparo intelectual... é o trabalho a pior moral!

Almeida sabia de cor a canção. Só nunca tinha parado para pensar que já naquele tempo Johnny Alf falava de um brasileiro que usava a malandragem para se dar bem na vida.

Não sendo a minha apresentação... o meu dinheiro é só de arrumação.

Ou estaria falando de um político do *Centrão*?

– Desgraça... – ele murmurou, procurando a mesa de Tom na casa noturna. – A lei de Gérson! Claro... levar vantagem em tudo... sempre existiu!

Incrível como Almeida havia se iludido ao longo de sua juventude. Sempre pensara que entre 1958 e alguns meses antes do Golpe de 64 o Brasil vivera um tempo de felicidade e esperança. Mas aos poucos ia concluindo que, em muitos sentidos, isso não passava de ilusão.

– Almeidinha! – Tom Jobim gritou, apontando para uma cadeira vazia na mesa onde estava com mais alguns rapazes.

No palco, Johnny Alf parecia ler os pensamentos do redator de discursos: *E me apraz essa ilusão à toa.*

– Tom, você está certo. Agora me convenço de que tudo não passou de ilusão.

– Mas o que é isso, Almeidinha? Você nem disse boa-noite e já vem descarregar seu pessimismo em cima da gente?

– Me perdoe, me perdoe mesmo, Tom! Estou absolutamente desiludido com o crescimento da popularidade do candidato Jânio Quadros, um populista sem qualquer projeto para o Brasil. Dediquei todas as minhas energias para ajudar Juscelino a fazer seu sucessor. Henrique Lott é um legalista que detesta extremismos tanto de esquerda como de direita. Mesmo sendo do Exército, evitou um golpe militar em 1955! Enfim... se Lott vencer, não teremos Jânio, nem Jango, nem os generais torturadores e, depois... ora, depois... ficamos livres do Jairo!

– Almeidinha, deixa esse assunto pra outra hora, vai! Tem mais gente aqui na mesa, tá vendo? Menesca, Ronaldo, Carlinhos, Normando... Pessoal, este é o Almeidinha de quem eu falei!

Os olhos de Almeida percorreram cada rosto, notando que eram conhecidos, ou mais ou menos conhecidos.

– Ah, sim, Normando! Sim. Olá. Boa noite a todos! Boa noite... – Virou-se novamente para Tom Jobim. – Mas, Tom, por que você não disse que não estava só? Eu...

– Eu sei que você é um sujeito regrado e que não gosta de surpresas. Se eu dissesse, não viria. Eu inclusive contei a eles que você é um tremendo letrista! Quem sabe você não faz uma parceria com Menesca, ou com o Sérgio Mendes. Tá vendo ele ali naquela mesa, do lado da Maysa? Daqui a pouco eu te apresento a eles. – Tom virou-se para o grupo. – Meus amigos, o Almeidinha escreve melhor que todos nós aqui juntos! Só se compara ao Vinicius. Mas, além de tudo, é o maior *ghost writer* de presidentes da República.

– Uau! Só *o fino*! – Normando reagiu, descolado.

Almeida gostou de rever Normando, o que o deixou mais à vontade.

– Escrevi algumas falas de FHC, Lula e da *presidenta* também – Almeida disse isso querendo brincar, sem perceber o quão inapropriado havia sido.

– Como? – Menesca perguntou, achando aquele amigo de Tom muito estranho. – Que história é essa de *presidenta*, rapaz?

Mesmo se uma mulher se elegesse, a gente usaria a mesma palavra: é o presidente e a presidente.

– Eu tentei argumentar isso lá no Planalto, mas fui voto vencido. A presidente só queria...

– Almeidinha, por favor! – Tom interrompeu. – Vamos falar de música. O Normando você conhece, né?

– Ah, sim, me lembro... da praia. Prazer em revê-lo, conterrâneo!

– Prazerzaço! Mas não sou exatamente conterrâneo... sou do Recife, morou?

– Sim, e eu sou paraibano de Taperoá, vilarejo do coração de Ariano Suassuna, onde fica a paróquia do querido padre Fabrício, mas, de certa forma, no futuro, nós dois também vamos ser conterrâneos. Seremos todos *paraíbas*. O Jairo nos verá dessa forma.

– Que Jairo? – Normando perguntou, confuso.

Almeida percebeu que mais uma vez estava se antecipando aos fatos e tentou consertar.

– Não... É verdade! Você e o Ronaldo estavam na praia no dia em que conheci a queridíssima Nara. Claro que me lembro de vocês!

– Não só na praia... – Normando prosseguiu, voltando a sorrir. – Eu vi direitinho quando você levou a loira pro sofá e ficou alisando os mocotós dela.

– Loira? Como?

– Rapaz, não precisa esconder de ninguém. – Normando estava empolgado, relembrando o caso que caíra na boca da turma. – A loira estava sozinha, e você mostrou que tem borogodó. Qual é o problema de ter passado a noite com um broto magnífico que não tem dono?

– É que Lígia pode...

– Lígia não pode nada, Almeidinha – Tom interrompeu, deixando o copo de uísque na mesa. – Você precisa esquecer um pouco a Lígia, rapaz. Aliás, eu ia mesmo te contar. Ela foi morar com o embaixador. Anda dizendo que finalmente se encontrou na vida.

– Que embaixador, o Vinicius? – Almeida se confundiu.

– Não...

– O Vinicius não é embaixador, ele é cônsul – Carlinhos corrigiu.

– Eu sei, eu sei... os generais vão cassar o mandato dele. – Almeida disparou a falar: – Vão dizer que ele bebe demais e que não pode representar o Brasil. Mas vai ser só desculpa... O AI-5 vai cassar todo mundo que os militares acharem que for contra a ditadura e ainda vai justificar tortura e mortes. Até a Nara será perseguida!

– Que bobagem é essa de ditadura, Almeidinha? – Menesca ficou incomodado com o que lhe pareceu uma ofensa a Vinicius.

– Que que é isso de milico perseguindo Nara e cassando Vinicius? Em breve, nosso poetinha vai ser promovido a embaixador. Vão mandar ele pra Paris, e nós vamos passar um tempo lá, não é, Normando?

Normando ia responder, mas Almeida estava acelerado.

– Vocês também vão pra Paris?

– Calma, Menesca – Tom retomou a palavra. – Segura no uísque. O Almeidinha sabe das coisas, mas é um pouco precipitado. O que ele tá querendo dizer é que os militares *podem* dar um golpe *se* algum dia o João Goulart for presidente. Coisa que, na minha humilde *opinião*, não vai acontecer.

– Pois é... Que bobagem é essa, rapaz? – Normando achou a história toda sem pé nem cabeça. – Jango é vice, e nada indica que ele vá se tornar presidente.

– Eu entendo, Normando, mas, se Jânio renuncia, o Jango assume e os militares conspiradores o derrubam! – Almeida ficou vermelho.

– Almeidinha, querido, vamos falar daquilo que nos uniu? – Tom interrompeu novamente, mas Almeida quis fazer o remendo.

– Bem, Normando, o que estou dizendo é só uma hipótese, uma possibilidade... claro... e a única forma de impedir isso é mudar o que venho chamando de fluxo inexorável do tempo, ou seja, mudar alguma coisa que interfira no *continuum* espaço--tempo da história.

Os compositores olhavam para Almeida como se Elon Musk tivesse baixado no Beco das Garrafas, e ele prosseguia:

– Por exemplo, vocês poderiam falar menos de pato e barquinho, e, quem sabe, escrever letras de música alertando para os perigos que o nosso país enfrenta. Posso lhes garantir que o pessoal da Tropicália já estaria protestando. Mas, enfim, temos que fazer Juscelino vencer as eleições de 65 para que o Brasil não caia nas mãos dos generais e, depois, do Jairo!

– Ele insiste em chamar o Jânio de Jairo! – Carlinhos resmungou, cutucando Menesca.

– Tom, você disse que esse sujeito era letrista, e ele vem aqui, em pleno Beco das Garrafas, às duas da manhã, fazer discurso alarmista e dar lição de moral? – Normando perdeu a paciência. – Não tô achando graça nenhuma, morou? Passa o uísque, Menesca.

Tom fez sinal com a mão, chamando Almeida para se sentar mais perto dele. O redator de discursos trocou de cadeira com Carlinhos. E Tom falou baixo, com intimidade, enquanto lhe ajeitava a gravata:

– Vamos lá, Almeidinha. O que houve? Tô preocupado com essa tua cara de remorso e, principalmente, com esse teu pessimismo crônico, que achei que tivesse melhorado. Eu sei que você saiu de novo com a loira amiga da Nara e tá se sentindo culpado. Mas não esquenta com isso, não! A Lígia já virou o disco. Ela tá morando na residência oficial do embaixador em Paris.

Almeida esticou as sobrancelhas, olhou para os outros músicos, pensou que todos haviam ouvido o que Tom lhe dissera e reagiu, esforçando-se para manter a famosa gentileza:

– Pare, Tom, por favor! Por que você está me dizendo essas coisas? E na frente de todos!

– Para de fazer drama, Almeidinha. Ninguém ouviu nada. Só eu sei da tua missão. E o motivo pra eu ter te chamado aqui é, mais uma vez, o teu enorme talento com a poesia.

– Pois é... – Carlinhos se intrometeu. – O Tom me disse que você escreveu alguns trechos de letra pras canções dele.

Almeida ficou vermelho outra vez, certo de que todos haviam escutado a conversa. Mas, para sorte dele, Johnny Alf fez um intervalo no show e Carlinhos pegou o violão.

– Eu e o Ronaldo fizemos esta coisinha aqui: *Era uma vez um lobo mau que resolveu jantar alguém.*

Almeida ouviu alguns versos, virou um copo de uísque, refrescou a memória e fez coro com Carlinhos e Ronaldo no refrão:

– *Dizer que não pra lobo, que com lobo não sai só.*

– Para lhe falar a verdade, Carlinhos – Almeida falou, mais desinibido em função do uísque –, eu acho essas letras todas muito bonitas, de uma poesia tocante... mesmo! É uma das canções mais lindas da bossa nova! Mas, como disse anteriormente, vocês poderiam compor pelo menos uma ou outra música que revelasse uma preocupação com o contexto político, o futuro incerto do nosso país. Acho que já está na hora de usar a arte para manifestar nosso protesto, não acham?

– Almeidinha, querido. – Era o Tom. – Você nem deixou o Carlinhos terminar. Termina, Carlinhos!

– *Pede e promete tudo, até amor... E diz que fraco de lobo é ver um chapeuzinho de maiô.* – Carlinhos parou de tocar e se virou para

Almeida. – Pois é, meu amigo. Eu queria justamente ver se você tem alguma ideia pra essa segunda parte. A letra tá muito curta, só com uma estrofe.

– Eu adoraria ajudar, Carlinhos. Acredite. Mas não tenho esse dom. Ainda mais com essa questão de lobo e chapeuzinho. O Tom se iludiu porque, numa única vez... ou melhor... por duas vezes, recebi algum sopro de inspiração. Mas na realidade não sou letrista, sou redator de discursos. Acima de tudo, estou atordoado com o que Tom acaba de me dizer sobre Lígia. E além disso eu não quero atrapalhar, me perdoe, sei que vocês em breve vão fazer bonito no Carnegie Hall, em Nova York.

– Ah, então já tá certo isso? – Menesca se animou.

– Uhuuuu! – Normando fez um brinde no ar com o copo de uísque. – A bossa nova vai conquistar New York!

– Não, de jeito nenhum... não tem nada fechado ainda – Tom interveio, dando uma joelhada em Almeida por baixo da mesa. – O Almeidinha tá sonhando.

– Pois é, brother... Então, para de falar do que não sabe. – Normando se incomodou novamente com a falta de sentido das coisas que Almeida dizia. – A nossa turma aqui do Beco não quer se meter com política, isso não altera em nada a nossa vida de compositor. Contanto que nos deixem continuar cantando, tá tudo certo. Morou?

Normando pegou o violão da mão de Carlinhos.

– Deixa eu cantar uma pro meu conterrâneo pra ver se acordo ele. É sua, Tom... me ajuda! *Tristeza não tem fim, felicidade sim.*

Almeida se animou, esqueceu-se dos problemas e cantou com Tom e Normando:

– *A felicidade é como a gota de orvalho numa pétala de flor... Brilha tranquila, depois de leve oscila... E cai como uma lágrima de amor.*

Menesca, Ronaldo e Carlinhos se juntaram ao coro:

– *Tristeza não tem fim...*

Almeida concluiu que não tinha como culpá-los: eles apenas estavam curtindo "o amor, o sorriso e a flor", num momento em que música de protesto era uma coisa francesa que só tomaria forma no Brasil quando a ditadura começasse a prender e arrebentar. Sem falar que nos anos 1960 não havia a terrível polarização que no futuro dividiria até famílias, motivada pelas fake news que circulariam a torto e a direito pelas redes sociais.

Tristeza não tem fim...

Felicidade sim.

Almeida achava que havia lido sobre aqueles tempos mágicos no livro do Joaquim Ferreira dos Santos, ou em algum outro, afinal, lera todos sobre o assunto. Sim, dizia-se que em 1958 e no comecinho dos anos 1960 ninguém era considerado "de vanguarda" ou "reacionário", simplesmente porque o país ainda não havia radicalizado a esse ponto. E ele, Almeida, começava a pensar que precisava relaxar um pouco mais e desfrutar aquele momento único.

A felicidade é como a pluma...

Ainda que já fosse 1961, e que dentro de pouco tempo a felicidade fosse sair "caminhando contra o vento, sem lenço e sem documento", até ser completamente violentada, ele precisava aproveitar o momento único: a despedida do Brasil que tudo pode... o Brasil da bossa nova, do desenvolvimento invejável e "da morena sestrosa de olhar indiferente". A terra boa e gostosa nunca fora perfeita como nas canções, mas Almeida aos poucos descobria que a esperança estava morrendo ali e em breve estaria jogada na praia com o corpo roído como os de Chico Ferreira e Bento. E sem esperança ficava impossível o Brasil ter futuro. Almeida precisava superar seu pessimismo para levar o país a ter esperança outra vez.

Era isso!

Sim, era isso.

Dentro de pouco tempo, a terra de Nosso Senhor se tornaria a terra do "sim, senhor", e Almeida pensou que por muitas décadas não veria mais brasileiros talentosos e felizes comemorando o simples fato de estarem vivos e cantando, ali mesmo, num lugar meio sujo que atendia pelo nome de Beco das Garrafas.

Foi quando lhe veio à mente a frase do filme que ele vira na véspera de tomar aquela decisão impulsiva de se mudar com a família para Paris.

"Nostalgia é negação... negação do presente doloroso... e o nome dessa falácia é pensamento Anos Dourados!".

A frase dita por um personagem de *Meia-noite em Paris* voltava à cabeça de Almeida, que finalmente percebia que tinha sido por muito tempo um nostálgico incapaz de aceitar as dores do presente, de um presente que ele já não conhecia direito, pois... bem, pelos cálculos que fazia, no futuro devia ser fevereiro ou março de 2019. Precisava telefonar a Lígia para saber das novidades e, sim, sim, estava morrendo de saudades da Juju.

11

— Lígia, que barulho é esse?

— Não é nada, Almeida. O que é que você quer? Fala logo!

— Mas eu estou ouvindo tiros de canhão! Lígia... onde você está?

— Na Esplanada dos Ministérios...O que você queria?

— Mas você voltou ao Brasil?

— Nosso embaixador... ele foi promovido, tomou posse ontem, agora é chanceler, não é demais?

— Que embaixador? É verdade o que o Tom me disse?

— Eu que te pergunto, Almeida: você voltou?

— Ahn? Bem, estou aqui em Ipanema.

— Você voltou? Onde você tá, cachorro...?

— Estou aqui num hotel, de frente para o mar.

— Rarrá... Engraçadinho! Então você tá vendo a comemoração cívica aí na praia? O Brasil inteiro em festa.

— Mas que comemoração cívica, que festa? Eu não estou em comemoração alguma, Lígia. Acabo de acordar. Estive ontem com a turma da bossa nova. Estive também com o presidente, em Brasília.

— Uau! Você teve com o Jairo? Finalmente parou de se esconder e aceitou a realidade. Vai escrever discurso pra ele? Isso vai ser lindo!

— Não, Lígia, que realidade? De maneira nenhuma. Estive com Juscelino.

— Eu vou ter que desligar, Almeida. Eu tô acompanhando o chanceler e não posso me expor desse jeito. Podem me acusar de conspiração. Não consigo nem pensar que meu nome possa ser jogado nas redes como ex-mulher de um traidor da pátria. Vou desligar!

— Espere, meu bem.

— Se você me chamar assim, aí é que eu desligo mesmo. Eu não tô sozinha, Almeida!

— Está bem, está bem, eu sei... tem um monte de gente aí. Mas, espere, Lígia... que dia é hoje?

— Sem essa, Almeida, é 31 de março.

— O quê? Mas por que essa barulheira?

— Por isso mesmo... ora bolas! É o Dia da Revolução!

— Pare com isso, Lígia!

— Sim, e neste exato momento o general Regino está recebendo a medalha.

– Que medalha?

– É a condecoração máxima da Pátria Amada, a medalha general Emílio Garrastazu Médici!

– MÉDICI???

– Sim, a cada ano o Jairo homenageia um ex-presidente dos tempos da Revolução.

– Que revolução, Lígia? Foi ditadu...

– Se você repetir essa palavra, eu desligo na tua cara! Isso dá um problema danado. Você não sabe que os verdevaldos esquerdopatas tão vigiando a gente? Basta um vazamento desses pra dizerem que eu sou petista, e aí tô ferrada. E tem também a agência militar que cuida pra que tudo o que se diz seja a favor do Jairo. Posso te garantir que ao menos umas dez pessoas vão ouvir a nossa conversa.

– Estou estupefato, Lígia.

– Estamos aqui para comemorar a grande Revolução, entendeu? RE-VO-LU-ÇÃO! Foi o que nos salvou do comunismo. Está claro pra você este momento crucial da nossa história? E você sabe o risco que corremos se o comunismo voltar, não sabe?

– Lígia, meu bem, está bem... Mas você não está falando coisa com coisa!

– Virou comunista, Almeida?

– Ora, Lígia... Você sabe que eu nunca fui comunista, e que isso nem existe mais. Sou radical de centro, como sempre lhe disse! E até admiro os bons conservadores. Só não defendo golpe de lado nenhum. Em 64, o povo não queria comunismo, mas também não queria um regime assassino, meu bem! A gente não fugiu dos radicalismos inaceitáveis da esquerda para ter um regime de exceção de extrema-direita. Um regime que cassou direitos de políticos como JK, que torturou e matou!

– CALA A BOCA, ALMEIDA! Se alguém ouve o que você tá falando, minha temporada em Brasília acaba na hora. Vou ser obrigada a voltar pra Cordovil! Ou você esquece que eu não nasci em Ipanema?

– Não, meu bem, eu sei da sua infância difí...

– Ainda bem, Almeida... ainda bem que tá todo mundo ocupado com a cerimônia!

– Espere, Lígia. Estou preocupado com essa sua conversão. Você sabe quantos *militares* os generais prenderam e cassaram? Sabe que eles dissolveram os partidos e tiraram do povo o direito de votar? Sabe que eles cassaram até o Vinicius e quiseram prender a Nara?

– Tem certeza de que você quer insistir nessa baboseira de professor socialista? Ou vai defender mamadeira de piroca também?

– Meu bem, que mama... Não sou socialista, sou sociólogo, e jornalista antes de qualquer coisa! Fala que você está brincando, Lígia!

– Tarde demais.

– Hein?

– Tá tarde, tenho que ir. Escuta, Almeida, eu corri aqui pro saguão do ministério pra falar com você em respeito à tua filha, que perdeu o pai, mas agora preciso voltar pra rua e acompanhar o chanceler.

– Espere, cadê a Juju? Quero falar com ela!

– Ela tá lá no meio do povo com o noivo. Tá muito bem encaminhada! Ficou noiva do pastor Gilmário, da igreja do reverendo...

– Um pastor da igreja do quê? Minha filha?

– Do reverendo Jeroboão. O Gilmário é um doce, superinfluente. Tem apoio do Jairo e está fazendo um projeto incrível no Ministério da Educação.

– Que projeto?

– Tá criando uma faculdade em Goiás. Ele ajuda muito as prefeituras, usa a influência dele com Jairo pra elas conseguirem recursos da Educação.

– Mas, Lígia, é óbvio que tem prop...

– CALA A BOCA, ALMEIDA! Se tiver isso aí que você ia dizer, e daí? Se é pra melhorar o país... Não vejo problema nenhum se o Gilmário estiver mexendo os pauzinhos lá em cima pra melhorar o Brasil.

– Mas, Lígia...

– O que interessa é que a Juju tá muito bem com ele. E, você sabe, né? Ela não quer te ver nem pintado de verde-amarelo!

– Vou voltar, Lígia. Sei que ainda vou voltar. Mas tenho que resolver umas coisas antes.

– Tá bom, sabiá. Vai cuidar da tua loira! E leva uma mamadeirona pra ela.

– Que loira?

– Uma testemunha disse à polícia que viu você e uma loira saindo de um muquifo em Copacabana. Na Prado Júnior que, como você deve saber, é a rua das putas. Mas eu não tô nem aí. Vou voltar pro desfile porque não quero perder a passagem dos tanques.

– Que tanques? Como assim? – Almeida, ainda mais nervoso, falou exaltado: – QUE TANQUES SÃO ESSES, LÍGIA?

– OS TANQUES DOS NOSSOS HERÓIS DE 64, O QUE É QUE VOCÊ ESPERAVA? – ela gritou de volta, para ter certeza de que ninguém que porventura estivesse na escuta duvidasse de seu patriotismo. – Foram restaurados, depois do desfile vão pro Museu da Pátria. Agora vou desligar. Tchau, Almeida!

– Lígia?

12

Almeida não entendia como era possível que tanto tempo tivesse passado. Lígia vivendo em 2019... ele em 1961. Estranhava o fato de que o tempo não passava de maneira igual no passado e no futuro. Muito estranho mesmo. Mas, acima de tudo, estava alarmado com as notícias: o Brasil de Jairo tornara-se uma democracia ideológica e preconceituosa em que o presidente, seus ministros, secretários, apoiadores e bajuladores queriam determinar o que era ou não permitido ao povo pensar e falar. Lembrava a censura dos militares. E Lígia tinha se convertido por completo ao jairismo, repetindo a cartilha que, na cabeça de Almeida, era fascista, militarista e golpista.

– Absolutamente fascista, zero democrática! – ele resmungou sozinho.

A realidade era que Lígia sempre se adaptara para sobreviver. Olhando para os fatos em perspectiva, até mesmo se casar com Almeida e trocar Cordovil por São Paulo podia ser interpretado como um ato de adaptação e sobrevivência. Mas Almeida nunca imaginou que ela fosse tão longe. Ainda por cima com rumores de que estivesse de namoro com o chanceler de Jairo, algo que ele se recusava a admitir.

E Juju? Seria possível que a filha de um democrata exemplar tivesse se tornado uma discípula de Jeroboão? Iria fechar os olhos para o charlatanismo escancarado? Iria se tornar também uma olavete e seguir as orientações bizarras daquele ideólogo desonesto, conspiracionista e manipulador?

Era tudo tão absurdamente complexo que Almeida só podia pensar que estivesse delir... Bem... ele estava em Brasília. E naquela manhã tomava café com Jânio e alguns de seus assessores mais próximos. Não se lembrava de ter visto a posse do novo presidente, nem tinha a mais vaga lembrança de como havia feito para se infiltrar no Palácio do Planalto e se tornar um importante conselheiro presidencial.

Almeida tratou de se esquecer um pouco de Lígia e Juju, e ficou ouvindo o que aqueles homens tensos conversavam.

– Onde estão os inimigos? O povo não gosta de amar. O povo gosta é de odiar! Os senhores são capazes de me compreender?

Almeida ficou abismado ao perceber que a estratégia de Jairo se repetia com Jânio: o presidente eleito em 2018, com a ajuda dos filhos, usava a internet para divulgar artigos falsos nas redes sociais e provocar discórdia. Ou melhor, era na ordem contrária: Jairo repetia a estratégia de disseminação de ódio tão meticulosamente articulada por Jânio. E assim, com o país polarizado entre os perplexos e os patéticos, Jairo governava ainda com grande apoio de brasileiros reacionários (pois o conservadorismo era outra coisa) e, principalmente, com uma massa de seguidores de olhos vendados que negava até mesmo aquilo que Almeida estava prestes a testemunhar.

"*Prestes...* Ahn?" A palavra fora de contexto mexia com a imaginação do redator de discursos. Mas, no palácio de Jânio, com tantos militares infiltrados, era melhor nem pensar no comunista Prestes.

Na cabeça sempre criativa de Almeida, o Brasil de Jairo parecia o povo naquela festa em que os touros saem correndo pelas ruas de Pamplona. A multidão foge dos animais, vai tomando chifrada, às vezes se ferindo gravemente, mas, ainda assim, correndo e correndo na esperança de não tomar mais chifrada. Até que, depois de um longo monólogo de Jânio Quadros, Almeida foi despertado pela fala de um ministro:

– Mas, senhor presidente, por que o ódio? Juscelino governou com tanto otimismo...

O ministro foi logo interrompido.

– Cale-se, ministro Mariani, cale-se! E não mencione mais o nome daquele entreguista, inimigo da Pátria! É fácil ensinar o ódio ao nosso povo. Basta apontar claramente os inimigos: a imprensa, os jornalistas, as grandes empresas americanas, o capital internacional... Tudo isso assusta as pessoas muito facilmente, e a nós cabe mostrar que estamos combatendo as forças inimigas. Se vamos fazer uma medida impopular, em vez de tentar justificá-la, temos de mostrar ao povo que a medida só é necessária por causa dos inimigos.

– Entendido – disse o ministro Bernardes.

E Jânio seguiu falando:

– Temos que apontar bem os inimigos para que eles os possam identificar e combater. Eu sou o vingador! Isso está claro para vocês todos aqui? Nós precisamos ensinar ao povo quem são os inimigos e quem é o salvador. Se não houver inimigo, vamos inventar alguns! Está claro, senhores?

Com o olhar rígido, Jânio virou-se na direção de Almeida e parou de falar, como se esperasse um comentário. O redator de discursos arrumou-se na cadeira, apertou a gravata, arregalou os olhos fazendo as sobrancelhas chegarem quase ao alto da testa, ajeitou os óculos sobre o nariz, segurou a respiração... e continuou mudo.

– Fui claro, Almeidinha?

Almeida assentiu em silêncio, finalmente soltando o ar que lhe enchia os pulmões, desconcertado, pois até então estava em dúvida se alguém percebera sua presença. Acima de tudo, impressionava-se com a semelhança entre aquela estratégia suja de Jânio e o ódio propagado por Jairo. As diferenças entre os dois, Almeida teorizava, eram apenas duas: a rede social e o nível intelectual.

"O conhecimento que Jânio e Jairo têm da língua portuguesa é absoluta, completa e diametralmente oposto! Mas, no fundo, estão dizendo e fazendo a mesma coisa", ele pensava.

No século 21, a imprensa, os artistas, os produtores nacionais de cinema e teatro, os LGBTQIA+, binários e não binários, as feministas, a esquerda, os religiosos não evangélicos, os sociólogos preocupados com as desigualdades de classe e de cor... Na visão dos jairistas, todos eram forças demoníacas de esquerda que estava tentando destruir o Brasil e, mais que tudo, a família brasileira.

Jairo, "o cristão honesto", havia sido eleito para restituir a honra e a decência da nação.

"O povo gosta de odiar!"

Essa frase não sairia jamais da cabeça de Almeida. Mas Jânio Quadros ainda não havia terminado. Seguia criticando os poderosos, dizendo que seu governo precisava se distanciar de todo o mal que fazia o Brasil apodrecer desde que Juscelino, "o entreguista", ludibriara os brasileiros com sua cantilena desenvolvimentista.

– Não foi por acaso que criei o "varre, varre, vassourinha". Precisamos varrer para fora do palácio o velho Brasil, o Brasil de Getúlio e de políticos enganadores como JK. Se possível, nós os mandaremos para longe de nossas fronteiras. *Eu* sou o novo Brasil!

Mais uma vez, Almeida achou absolutamente curiosa a coincidência entre Jânio e Jairo, pois Jairo se apresentava como político honesto, mas vivia cercado de pessoas suspeitas de corrupção e envolvimento com milícias criminosas, inclusive ele e os filhos eram alvo de investigações.

Jânio, no fim da vida, seria acusado também, e acumularia um patrimônio nada modesto de 66 imóveis. O redator de discursos não se conteve. Aproveitando uma pausa, falou com convicção:

– O senhor vai fazer escola, presidente Quadros!

Antes mesmo de terminar sua única interferência naquela reunião, já arrependido, Almeida baixou a cabeça. Jânio e os ministros o olharam com espanto, como se ele não tivesse o direito de interromper aquele tenso café da manhã.

Apesar disso, ao fim da reunião, Jânio sorriu e o abraçou como se fossem velhos amigos. E Almeida teve a impressão de que o presidente mexera em seu bolso.

Saindo da sala, ainda intimidado pelos olhares de reprovação de alguns ministros, foi até o banheiro e encontrou, no bolso do paletó, um bilhete de Jânio.

Almeidinha, querido, escreva-me um discurso irretocável para a condecoração de Che Guevara. Precisamos mostrar ao povo que temos independência nos assuntos externos. Destaque que restabeleci as relações com os soviéticos e com a China comunista! Relembre meu apoio a Fidel! E deixe claro que não somos subordinados ao poder dos americanos!

Jânio Quadros

Che Guevara?!

Almeida ficou excitadíssimo com a perspectiva de conhecer o revolucionário argentino que ajudara Fidel Castro a chegar ao poder em Cuba. Passou a tarde escrevendo o discurso para a condecoração e, no dia seguinte, o entregou a Jânio, que o leu tal e qual no encontro com Che. O presidente ainda deu um tapinha nas costas de Almeida quando terminou a leitura.

– Esplêndido! Irretocável a homenagem a Fidel.

Almeida ficou nas nuvens. Não tanto por causa de Jânio, ainda que um elogio sempre o fizesse sentir-se muito bem. O fato era que Almeida nutria uma antiga admiração por Che Guevara. Mesmo sendo um democrata e desaprovando o autoritarismo cubano, fora tomado por uma emoção indescritível ao ver o ex-guerrilheiro ali, bem à sua frente, sorrindo ao ouvir o discurso que Almeida redigira para homenageá-lo.

Quando estava na universidade, na época em que estudava minuciosamente os grandes discursos, virou noites analisando as palavras de Fidel, Churchill, Mandela, Luther King, Gandhi, Thatcher, Kennedy e dos grandes líderes soviéticos. Em sua formação acadêmica como jornalista, e depois no mestrado em Sociologia e no doutorado em Ciência Política, Almeida nutrira uma profunda admiração por Che, mesmo que ele por muitas vezes atribuísse essa admiração a uma certa "ingenuidade juvenil sem a devida fundamentação política".

Durante um tempo, quando não passava de um calouro no curso de Jornalismo, Almeida usou uma boina como a de Che e, quando quis posar para uma fotografia imitando o revolucionário ao lado dos amigos do curso de História, teve uma desastrosa experiência fumando charutos. Mesmo depois que aquela fase passasse, muita gente diria que Almeida se parecia com o herói da Revolução Cubana. A barba esvoaçante, aliás, era indiscutivelmente inspirada na barba de Che. E, nos momentos em que a razão dava descanso a Almeida, seu coração pulsava ligeiramente à esquerda do paletó.

– Preciso aceitar minhas raízes – ele murmurou consigo, certificando-se de que ninguém o notava, sempre preocupado em manter sua postura de democrata centrado e, mais que tudo, como dizia a Lígia, a "adaptabilidade política, meu bem... adaptabilidade política sem comprometimento de escrúpulos!". Era isso que ele se exigia como redator de discursos, não importando se os escrevesse para a esquerda ou para a direita, e era assim que precisava pensar naquele momento.

Almeida passou a noite no sofá de uma sala de estar do Alvorada, um sorriso no rosto, deitado de barriga para cima, ora sonhando ora lembrando-se do momento em que aquele personagem icônico o olhou nos olhos e apertou sua mão.

Ao se levantar, pela manhã, voltou a encarar a dura realidade que o aguardava: precisava correr para evitar a renúncia de Jânio. Se a história fosse seguir seu fluxo inexorável sem algo que lhe rompesse o *continuum*, faltavam apenas seis dias para que o presidente desistisse do cargo!

Almeida sentou-se diante de uma máquina de escrever e começou a datilografar a carta que pretendia mostrar a Jânio, sugerindo que ele a trocasse pela carta de renúncia.

No dia seguinte, Jânio começou a ler aquele texto impecável e, já no segundo parágrafo, o rasgou de maneira absolutamente teatral. Jogou os pedaços num cinzeiro e os queimou.

– Tal carta, fá-la-ei eu mesmo – Jânio disse a Almeida. – Estou deveras inspirado pela opressão que me estão impondo. Forças que me fogem ao controle, Almeidinha... elas me estão forçando a renunciar.

Almeida olhou para os lados, viu que não havia ninguém por perto e decidiu atacar.

– Presidente, permita-me opinar sobre essa matéria.

– Pois sim, Almeidinha. Não posso de maneira nenhuma deixar de reconhecer o brilhante discurso que você redigiu outro dia, na condecoração.

– Me escute então, presidente. Nasser só renunciou no Egito depois de perder a guerra, mas voltou nos braços do povo. Perón precisou esperar o fim da ditadura, mas também voltou à Argentina nos braços do povo. O senhor... me perdoe a franqueza, presidente... o senhor não tem nem um décimo do carisma de Nasser e nada o aproxima de Perón. Faltar-lhe-ia, ao menos, uma Evita. E não lhe terá servido de nada esse encontro com Che, pois carisma, lamento sempre minha franqueza, não se transmite pela saliva, presidente. Escute o que estou lhe dizendo: se o senhor renunciar, não voltará! Ficará relegado ao ocaso até se eleger novamente como um mero prefeito de São Paulo daqui a mais de vinte anos.

– Nada farei por voltar, mas considero meu retorno inevitável. Primeiro, operar-se-á a renúncia. Depois, abrir-se-á o vazio sucessório, pois as forças militares não permitirão a posse de João Goulart, esse herdeiro do abominável Getúlio Vargas. Destarte, ficará a presidência acéfala e, dentro de três meses, se tanto, o povo estará na rua, espontaneamente clamando pela reimplantação do meu governo!

– Permita-me informá-lo melhor, presidente: ninguém pedirá a sua volta. O senhor sai, Jango assume e, três anos depois, os militares o derrubam. O que o senhor está fazendo vai ser o ponto de inflexão para o completo aniquilamento das instituições democráticas brasileiras, o que terá como apogeu 21 anos de ditadura militar. É isso o que o senhor deseja com esse ato de renúncia? Vinte e um anos de ditadura?

– O Brasil, no momento, precisa de três coisas: autoridade, capacidade de trabalho e coragem nas decisões. À minha frente, não fica ninguém, mas ninguém! Não há ninguém além de mim que reúna esses três requisitos. E eu estou lhe dizendo que posso sair à vontade porque o povo que me fez o presidente mais votado da história vai implorar por minha volta. E, quando eu voltar, terei autoridade inquestionável, serei sustentado pelos militares, e não haverá mais o Congresso a me atrapalhar.

– Entendo que o senhor pense que o Congresso não o ajuda, que precisa dominar o Congresso. Mas isso se faz com alianças. Ou o senhor pretende acabar com a democracia?

– Nosso Congresso é inútil! Os deputados são uns ladrões contumazes, viciados em propina. Não irei jamais negociar com bandidos!

– Presidente, eu soube que um astrólogo previu que o seu governo cairia em 25 de agosto e voltaria logo depois. Acredito que seja possível prever o futuro, sim, inclusive vou com frequência a Salvador para consultas com mãe Frederica, mas ela não se baseia no mero movimento dos astros, isso não funciona.

– Prossiga – Jânio disse, alisando o bigode.

– Peço veementemente que o senhor me ouça, presidente: não renuncie, pois sua renúncia será o estopim de toda a catástrofe antidemocrática que se lançará sobre o Brasil. Sua renúncia será a morte definitiva do sonho de 58, sepultará os Anos Dourados ainda na infância, será o jazigo eterno do otimismo desenvolvimentista de JK... Bem sei que o senhor o detesta, mas... enfim: por mais contraditório que pareça, sua renúncia é a própria destruição do futuro do nosso amado Brasil!

– Guardas, guardas! Por obséquio, tirem este lunático da minha frente. O senhor Almeida não está mais autorizado a se dirigir ao presidente.

Apesar do gesto teatral que levara Almeida a ser detido numa sala escura do Palácio do Planalto, Jânio ficou refletindo sobre aquelas palavras até mesmo ao participar de uma cerimônia militar pelo Dia do Soldado. Fingira não ter dado atenção, mas o que o redator insolente lhe dissera retumbava em sua mente: "Sua renúncia será o estopim de toda a catástrofe antidemocrática que se lançará sobre o Brasil!".

Ao mesmo tempo que temia a profecia de Almeida, Jânio se envaidecia ao pensar que uma única decisão sua seria responsável por tantas consequências históricas, e não considerava tão ruim assim a ideia de ter os militares no poder.

Ao sair da cerimônia, o presidente mandou soltarem Almeida. Queria vê-lo no gabinete.

– Almeidinha, deixe-me explicar-lhe uma coisa – Jânio lhe falou, com uma xícara de café na mão e uma intimidade rara. – O que você me disse, deveras, é algo que pode acontecer. Mas eu não posso ser responsabilizado por isso. Minha autoridade está sendo desafiada por forças terríveis. Não há como governar sem autoridade total, você é capaz de compreender? Perón, na Argentina... veja você como suas palavras foram levianas ou imprecisas... Perón é uma grande referência, mas neste momento está exilado. O Nasser continua governando o Egito, nunca renunciou.

Almeida percebeu que havia falado de fatos futuros e que Jânio, ainda em agosto de 1961, jamais poderia compreendê-los. Mas o presidente não havia terminado.

– Comigo é diferente, Almeidinha: eu preciso sair para voltar nos braços do povo. Estamos entendidos?

– Entendo, presidente. Mas permita-me repetir aquilo que ontem me levou a ser detido, já lhe agradecendo meu rápido *habeas corpus*. O fato é que, se o senhor sair, não voltará jamais. Aí entra o Jango, seu vice. E eu tenho certeza de que o senhor detestaria voltar para São Paulo e ficar de pijama em casa assistindo ao governo de Jango pela televisão.

– Na mesma árvore em que pendurarem meu pescoço estará o de Jango. Almeidinha, meu caro, não se preocupe com essa hipótese absurda! Os militares não deixariam o comunista governar nem por um dia. Precisam de mim. E não me venha Brizola falar em legalidade! Se eu sair, o deputado Ranieri assume minha cadeira temporariamente e, três meses depois, eu volto, ovacionado, em cima de um tanque. Você já pode ir escrevendo o discurso, isso sim. Faça algo com a mesma profundidade e beleza daquele que escreveu para a condecoração a Guevara!

Almeida perdeu as esperanças de uma saída negociada para aquele impasse. Jamais seria capaz de convencer Jânio a desistir da renúncia. Mas... e se Jânio saísse sem renunciar? Tornar-se-ia um mártir e espantaria o golpismo militar? Almeida perscrutou a estante que ficava atrás do presidente e viu uma adaga imensa numa bainha de marfim. Imaginou que fosse o presente de algum ditador africano.

Ficou vermelho como se o sangue lhe subisse todo às bochechas. Arregalou os olhos. "Fé cega, faca amolada", pensou. E tomou a decisão: iria se livrar do covarde, mesmo que pudesse ser destruído pelos guardas presidenciais, pois se sentia disposto até ao martírio para salvar a democracia.

Completamente alterado, como se um espírito pirracento tivesse se apoderado de sua alma, Almeida fez-se de distraído e caminhou meio trôpego em direção à adaga africana. Jânio voltara-se para a vidraça, o olhar perdido no horizonte, um copo de uísque na mão, e não prestava atenção aos movimentos de seu interlocutor.

– Não temos com o que nos preocupar, Almeidinha! – o presidente falou pausadamente, olho no além, mastigando cada uma das palavras antes de dizê-las. – As Forças Armadas... sim... elas estão do meu lado.

Ao ouvir Jânio falar em Forças Armadas, Almeida sentiu um calafrio, esbarrou na adaga e precisou se apoiar na estante para não derrubar tudo. Ficou imóvel por alguns segundos. Respirou fundo. Quando ainda era criança, no começo dos anos 1980, em Taperoá, ouvira os mais velhos falando sobre como os militares torturavam os adversários da ditadura, e como tinham punido severamente até mesmo os militares que defendiam a democracia. Seu avô Cabeto, coronel da Aeronáutica, havia defendido a legalidade da posse de Jango, protestado contra o AI-5, e estava desaparecido desde 1969.

Almeida soltou todo o ar de uma vez, recuperou a linha de raciocínio e finalmente desembainhou a adaga africana com que mudaria o curso da história.

– Poupe-me de qualquer constrangimento, Almeidinha. – O presidente continuava com o olhar distante, pensativo. – Não quero nem mesmo ter de me submeter a uma conversa com os ministros. Minha decisão é definitiva!

Quando Almeida ergueu a adaga e se virou na direção do presidente para atacá-lo, alguém chutou a porta do gabinete com violência e homens fardados começaram a entrar. Jânio se levantou assustado. Almeida largou a adaga. Jogou-se atrás da mesa presidencial para encobrir a arma com o corpo e, enquanto ouvia as botinas pisotearem o chão à frente de seus olhos, conseguiu empurrar a prova de sua intenção criminosa para debaixo da estante.

Mais militares foram entrando, e entrando, até que o gabinete ficou parecendo a sala de reuniões de um quartel. Jânio estava cercado, ouvindo a fala firme do general Denys, ministro da Guerra:

– Sua política externa, presidente. Essa aproximação com comunistas e revolucionários está para além do aceitável.

Almeida continuava deitado no chão, entre a mesa do presidente e a estante, em posição improvável, meio de lado, os braços paralisados, vendo apenas a movimentação das botinas nervosas de Denys e, depois, de um outro, o que ele reconheceu como o brigadeiro Moss, ministro da Aeronáutica.

Os militares fizeram Jânio saber o que Almeida acabara de lhe avisar: se o presidente saísse, não permitiriam a posse do vice João Goulart. O Golpe, ainda que demorasse três anos para se concretizar, se esboçava já ali, diante de Almeida – a mente girando, o corpo em sofrimento, esforçando-se para mover os braços e, se possível, sair correndo dali.

Assim que conseguiu ficar de joelhos, Almeida levantou-se apressado e saiu correndo pelo meio dos militares. Estavam todos voltados para o presidente, e apenas se desviaram do que parecia um assessor assustado. Ele correu pelo Palácio do Planalto, correu sem olhar para trás, com a certeza de que em algum momento seria detido por alguém que saberia exatamente suas intenções.

Sentindo-se um mártir de galinheiro, pior que a bosta dos pombos da Esplanada, o redator de discursos trancou-se num banheiro e não viu nada do que aconteceu em seguida: Jânio entrou no carro, seguiu para o aeroporto, subiu num avião e desapareceu da história.

Almeida estava tão nervoso e frustrado que, aproveitando o lugar mais do que apropriado, com a cabeça sobre as mãos e os cotovelos sobre as coxas, descarregou todas as suas tensões de uma só vez. Em realidade, desaguou-as.

Quando finalmente saiu daquele banheiro escuro, ainda descabelado e com os olhos esbugalhados, tentou entender por que ninguém no Palácio do Planalto sequer notava sua presença. Estariam todos em choque com a renúncia de Jânio? Ou iriam para as ruas celebrar? Almeida caminhou lentamente, uma alma penada. Desceu a rampa do Planalto já pegando o celular, e resolveu que precisava voltar a Ipanema para recuperar as energias.

13

a renúncia do presidente Jânio estava estampada nos jornais que Almeida via numa banca. Ele caminhava em direção à casa de Tom Jobim sem avisar, querendo ouvir as sempre sábias palavras do maestro e, quem sabe, um pouco de música para lhe acalmar o espírito. No entanto, chegando ao famoso endereço na Nascimento Silva, não encontrou ninguém. A cortina da janela que ele acreditava ser a da sala estava fechada. A porta de vidro do edifício, trancada com uma corrente e um cadeado, sem porteiro.

Almeida coçou a cabeça tentando entender por que nunca mais vira Protásio, seu conterrâneo, pois certamente o ajudaria numa hora dessas. Procurou a última ligação de Tom no celular querendo chamá-lo de volta, mas o que aparecia na tela era só uma série de CHAMADA NÃO IDENTIFICADA. Decidiu fazer uma nota mental para si mesmo: "Pedir o telefone de Tom no próximo encontro".

Almeida saiu caminhando por Ipanema com uma profunda esperança de encontrar alguém que pudesse lhe emprestar algum otimismo.

Algo, digamos... bossa nova.

Se estivesse com sorte, esbarraria com a cantora amiga de Nara, o que certamente o ajudaria a aliviar as tensões acumuladas naqueles dias turbulentos em Brasília quando, ele pensava, estivera a ponto de ser martirizado pelas botinas de um general.

Caminhou pela orla, chegou a Copacabana e viu loiras, morenas e pretas quentíssimas, mas nada da amiga de Nara.

Enquanto andava pela areia, de terno e descalço, sapatos na mão, Almeida fazia um balanço dos acontecimentos recentes e lamentava seu insucesso na tentativa de interferir nos rumos das coisas no passado em que se metera.

"Se ao menos Jânio tivesse me ouvido", pensou, inconsolável. "Preciso me esforçar mais porque desse jeito não vou nunca fazer algo que tenha consequências *reais* no futuro!"

Almeida foi obrigado a reconhecer que tudo de inesquecível que vinha lhe acontecendo independia de sua vontade: era Tom que lhe telefonava quando precisava, as portas presidenciais que se abriam inexplicavelmente, a loira que aparecia quando queria, o Normando que...

– Ih, Normando! – ele exclamou, sorridente.

Seu amigo músico estava de sunga vermelha, descalço, com um violão em punho, caminhando rumo à praia.

– Grande Almeidinha! Vagando pelo Rio numa *nice*... e ... e esse terno amarrotado. Tá de ressaca?

– Não estou de ressaca, não, meu caro. Nem cheguei a beber do uísque presidencial. Minha vinda a Copacabana é por pura necessidade de respirar a brisa da praia e recuperar minhas energias para a missão que ainda tenho a cumprir.

– Morei – disse o músico, desinteressado.

– Ah, Normando. Estou vendo que você traz esse violão... Por acaso vai encontrar a turma do Beco? O Tom?

– Nada. Eu tô numas de compor uma bossinha pra impressionar uma gata que conheci ontem, quando a passeata finalmente liberou a rua. Quer me dar uma força na letra?

– Você sabe, Normando. O Tom diz que eu sou letrista, mas é pura gentileza. Só escrevo discursos, coisas monótonas que os políticos leem para o povo em momentos de angústia nacional, como agora.

– Morei.

– Uma perguntinha, Normando... E a loira amiga de Nara, você por acaso esteve com ela?

Fazia tempo que Normando não via ninguém.

– Tô meio por fora, sem graça com essa história de quererem impedir a posse do cidadão lá em Brasília, atrasando nossa vida aqui. E tô sem grana também. Pela primeira vez em muito tempo, acho que não tô numas de falar de amor.

Almeida foi tomado por uma súbita esperança.

– Então a canção para impressionar a garota é... é de protesto?

– Nada. É sobre o mar mesmo, morou?

– Morei, claro. Normando... e o Tom, onde encontro ele?

Normando explicou a Almeida que, às quartas-feiras, a turma da bossa costumava se reunir no Antônio's para comer cavalinha e tomar umas Brahmas, mas soube que naquela noite uma turma tinha combinado de ir ao teatro para a reestreia de *Beijo no Asfalto*.

"Batata!", Almeidinha pensou, abrindo seu sorriso de lagarto eufórico.

– A peça do Nelson foi suspensa com a renúncia, mas hoje vai reestrear na Maison de France. Passa lá!

Almeida agradeceu ao Normando com um abraço caloroso e foi ao hotel Arpoador, onde estavam seus poucos pertences, ainda que ele não se lembrasse de tê-los levado a lugar nenhum. Pediu a uma camareira que passasse o terno a ferro, "bem lisinho", para chegar impecável ao teatro.

14

"É uma peça arrojadíssima do anjo pornográfico, e num momento histórico para o país!", Almeida pensou, esfregando as mãos, enquanto dava os últimos passos pela calçada que o levaria à Maison de France.

Ele imaginou como Jairo reagiria àquela peça, mesmo que a visse sessenta nos depois.

"A cena do homem à beira da morte que pede um beijo na boca a outro homem o deixaria com arrepios na espinha!"

Isso, claro, se Jairo fosse ao teatro.

"Pois Jairo, até onde sei, não é muito ligado em artes."

Para Almeida, no entanto, o beijo de Arandir era um momento mágico da dramaturgia brasileira: "o primeiro beijo gay, muito antes das novelas da Globo!".

Só quando a peça começou ele soube que tinha Fernanda Montenegro no papel de Selminha. Aquilo, sim, era privilégio! Em seus tempos na universidade, depois de finalmente entregar a tese de doutorado em que analisara profundamente os discursos de dez grandes líderes mundiais, Almeida se deu ao luxo de ler a obra completa de Nelson Rodrigues. Estudou a fundo aquela literatura que considerava genial (ainda que desde então os críticos e os prêmios literários preferissem textos herméticos e narrativas sem rumo), querendo desenvolver uma escrita mais direta e popular, sem rodeios.

Conhecia tão bem o enredo de *Beijo no Asfalto* que balbuciava muitas das falas dos personagens ao mesmo tempo que as atrizes e os atores as diziam.

Foi assim quando Selminha começou a defender a macheza do marido Arandir.

– O senhor não entende o quê? Eu conheço muitas que é uma vez por semana, duas... e até de quinze em quinze dias. Mas meu marido é todo dia! Todo dia! Todo dia! – E Selminha berrou: – Meu marido é homem! Homem!

Um sujeito ao lado de Almeidinha levantou-se e interrompeu a peça, ultrajado.

– Protesto em nome da família brasileira!

Os atores, e todos na plateia, viraram-se para observá-lo. Achando que fosse algum improviso da reestreia, um figurante contratado de última hora, o operador de luz lançou um holofote no homem, que naquele instante todos viam estar vestindo um terno preto, e, "oooohhhh", brandindo uma pistola na mão direita.

– É um acinte! – ele gritou, pistola apontada para Selminha, enquanto as pessoas se deitavam no chão. – Parem com essa putaria ou vou atirar!

Não fosse pelos óculos azuis, Almeida poderia passar por gêmeo daquele homem. De fato, naquela luz dramática, os dois se pareciam muito! E, como o sujeito estava bem ao lado, o redator de discursos voou para cima de seu duplo e conseguiu travar aquela mão trêmula, imobilizando o homem por trás numa chave de braço. Astutamente, arrancou-lhe a arma e lançou-a em direção a uma porta lateral.

Ao cair no chão, o trezoitão disparou sozinho.

O tiro zuniu em direção à cortina vermelha na lateral direita do palco, perto de Selminha, mas não atingiu ninguém.

Lá na primeira fila, um jovem de chapéu de palha levantou-se e, aplaudindo, virou-se para trás.

"É o Tom!", Almeida pensou.

– Dá-lhe, Almeidinha! Que atuação impecável!

Envaidecido com o elogio público do gênio, ainda neutralizando o agressor, o herói da noite tentou convencer o homem a deixar o teatro.

– O amigo está nervoso, já está desarmado, e não quer problemas com a polícia, não é mesmo? Vamos saindo, vamos deixar que o espetáculo recomece... Venha.

– Amigo porra nenhuma! Vocês estão destruindo a honra da família brasileira, da família católica, pura e incorruptível!

Muitas vozes mandaram o homem calar a boca, e ele tentou finalmente se desvencilhar de Almeida.

– Me solta, vagabundo!

Almeida, vermelho de raiva, apertou ainda mais o braço imobilizado. O homem passou a gritar:

– POLÍCIA, POLÍCIA! FECHEM ESTE BORDEL!

O único policial ali era o delegado Cunha – o ator Ítalo Rossi – e ele estava no palco. Num lampejo, o delegado Cunha deu um salto até a plateia e, como se fosse mesmo um policial, sob fortíssimos aplausos, ao lado de Almeida, levou o homem pelo braço até a porta da rua. Tinha sido justamente o delegado Cunha que fizera Selminha se revoltar com insinuações de que, por ter dado o beijo no homem caído no asfalto, Arandir era homossexual.

O homem mostrou seus documentos e foi solto. Era um militante nacionalista que atendia pelo codinome doutor Leite e tinha ao menos uma passagem pela polícia: havia disparado um tiro no Theatro Municipal do Rio numa outra peça de Nelson, pelo mesmo motivo.

O delegado Cunha e Almeida voltaram sob fortes aplausos, e a peça recomeçou.

Almeida conhecia muito sobre aquela noite pelos livros de história, mas estava achando extremamente excitante sentir tudo aquilo na própria pele em 1961.

Depois da cena que não estava no *script*, os holofotes voltaram-se novamente ao palco onde Fernanda e Ítalo Rossi contracenavam com outros atores igualmente incríveis, como o jovem Francisco Cuoco. O diretor era o grande Fernando Torres.

Com uma profunda sensação de dever cumprido, assistindo à peça, Almeida sorria seu sorriso de lagarto orgulhoso a cada nova fala do repórter sensacionalista Amado Bueno, responsável pela fofoca sobre o beijo gay que dava início à trama. A descoberta de que o sogro assassino – Aprígio – era o verdadeiro homossexual da história levou uma parte da plateia a vaiar incessantemente.

Almeida nem percebeu que já estava sozinho quando, ao fim, aplaudiu o espetáculo de pé. Tom e a turma da bossa tinham saído um pouco antes, temendo alguns fãs exaltados que os haviam importunado com um discurso nacionalista.

No saguão do teatro, Nelson Rodrigues pegava algumas pessoas pelo braço para questioná-las:

– Vem cá... o que foi que te ofendeu? – Nelson perguntou mais uma vez, e mais uma vez viu um casal se desvencilhar apressado, como quem foge de um pedinte na esquina.

Ao vê-lo, Almeida ficou extasiado.

– Ilustríssimo e grandioso mestre Nelson Rodrigues, permita-me interrompê-lo.

Nelson virou-se para o interlocutor, sobressaltado.

– Para de frescura, rapaz. Me chama só de Nelson. Como é teu nome? Gostou da porra da peça?

– Estou absolutamente encantado! Me chamo Almeida, sou redator de discursos, o Almeidinha.

– Almeidinha mesmo... o amigo do Tom?

Envaidecido por imaginar que Tom pudesse ter usado seu precioso tempo para falar dele *até* para Nelson Rodrigues, Almeida sorriu de uma orelha a outra, sentindo-se à vontade para tecer elogios ainda mais rasgados à peça. Mas Nelson estava faminto e decidiu ir embora do teatro. Convidou o estranho amigo de Tom para jantar em Copacabana.

No restaurante Nino, depois de exaltar o texto revolucionário do teatro de Nelson, muitos copos de cerveja vazios sobre a mesa, Almeida arriscou tocar no assunto que mais o interessava naquele momento.

– Nelson, permita-me explicar-lhe o que me traz a você.

– Grana, não tenho.

– Não é grana. Quero falar de política.

– Se for pra impedir a posse do comunista, eu apoio.

– Não, calma. Eu também não gosto do populismo do Jango, mas, se tivermos que passar por um golpe agora, com tamanha fragilidade institucional... isso pode ser ainda pior do que um golpe em 64. Nelson, meu mestre, eu sei do seu desdém pelo comunismo, sei o quanto você critica a União Soviética e também sei que detestaria ver Jango em Brasília, mas...

– Basta! É o *óbvio ululante*! – Nelson o interrompeu. – O que você não entende, e, aliás, quase ninguém entende, é que eu detesto qualquer tipo de regime que se sobreponha ao indivíduo, qualquer coisa que tire nossas liberdades. Pode ser de esquerda ou de direita.

– Pois é. Mas você vai apoiar a ditadura militar.

– Que ditadura, rapaz?

– Preciso lhe dizer algo importante: quando os militares lhe derem suas *palavras de honra* para lhe garantir que não torturam nem matam ninguém, você vai acreditar!

– De onde você tirou isso? Nosso problema agora é que esse Jango não passa de um agitador trabalhista... um filhote de Getúlio que vai transformar o exército numa milícia comunista! Aliás, de onde o Tom tirou isso de que você é um cara genial? Você só fala asneira! Em que pesadelo o Tom criou você?

– Mestre, pense em mim como um personagem de seus livros! Apenas acredite na minha existência e na importância de eu estar aqui lhe dizendo essas coisas estranhas. Escute, por favor, escute-me!

– Faz tempo que estou escutando.

– Jango vai assumir a presidência amanhã, mas, como você sabe muito bem, o governo dele não se segura de pé, e será derrubado pelos tanques, com o apoio silencioso dos Estados Unidos. Os americanos já estão aqui pelas ruas do Rio e têm o plano de mandar armas e até um porta-aviões para enfrentar quem porventura se opuser ao golpe. Estou certo de que, neste exato momento, há algum agente da CIA ouvindo nossa conversa!

– Ainda bem. Espero que escutem e concluam que o melhor é agir rápido para impedir que o totalitarismo se apodere do Brasil. Ou você acha que eu quero os bolcheviques decidindo o que digo ou não digo no meu teatro?

– Mas os militares é que vão censurar suas peças.

– Porra nenhuma. – Nelson virou-se para o garçom. – Traz mais uma rodada, Chico. – E de novo para Almeida. – Você precisa entender que isso que tem aí nem é mais esquerda: socialismo, comunismo ou qualquer nome que se dê a essa bosta são coisas do demo.

Almeida decidiu ignorar a teoria complicada de Nelson e focar o mais pragmaticamente possível seu objetivo.

– Você, Nelson, justamente por ser um pensador de direita, é talvez minha única esperança de conscientizar os apoiadores da ilegalidade e evitar o Golpe de 64.

Nelson estava achando aquilo tão absurdo que por um instante chegou a se divertir.

– Prossegue com tua ficção.

– Você pode usar sua amizade com os militares, por exemplo, sua proximidade única com o futuro presidente Médici...

Nelson gargalhou e, querendo ouvir o resto da história, bebeu mais um gole de cerveja.

– Prossegue, Almeidinha, que o roteiro tá bom.

– Você pode articular com o general Denys, ou mesmo com o Moss. Pode articular com eles uma saída institucional que evite o golpe. Quem sabe, uma candidatura militar apoiada por você e por outros intelectuais mais conservadores, algo que mude os rumos da história, ainda que o Brasil se incline para um conservadorismo intolerante... mas sem promover novo estupro desta nossa democracia que já nasceu violentada. Talvez, Nelson, você possa transformar tudo isso numa peça de teatro.

– Belas palavras. Aliás, belo tema para uma peça. O Tom tinha razão sobre suas qualidades líricas. Mas de que outros intelectuais conservadores você fala? Primeiro que eu não sou de direita nem conservador, sou libertário, contra tudo o que possa tolher nossas liberdades. E o que temos aqui é só uma esquerda festiva, com músicos e estudantes de psicologia que louvam Mao, Stalin e Sartre, além de uns padres socialistas guiados por um arcebispo vaidoso e oportunista. Sem falar nas grã-finas de Ipanema, que adorariam trair os maridos com o Che.

– Depois vai ser com o Chico.

– Quem? O nosso garçom? Enfim, depois eu é que só falo em traição!

Almeida engoliu em seco, lembrando-se do sentimento de ternura que o inundara no encontro com Che.

– São uns marxistas de galinheiro, Almeidinha! Eu sei que você não é nada disso, o Tom me disse o quanto você é centrado, que se define como um radical de centro, tal e coisa. Mas, se quiser ver como são incoerentes, vamos conversar com eles lá no Antônio's!

Você conhece o Antônio's, no Leblon? Pois vamos lá dizer umas verdades praqueles jovens sem porra nenhuma na cabeça.

– Mas você tem relação com a esquerda?

– Claro, falo com todo mundo. Ninguém corta relação por divergência política não.

– Bem, no passado... quer dizer, hoje... não, é verdade. No futuro isso vai ser diametralmente oposto.

– Mas o que eu tenho a ver com o futuro, Almeidinha? O que me interessa é a vida como ela é hoje.

– Eu sei, eu sei... Mas essa liberdade que você tem para escrever o que quer está ameaçada. Sem falar que em breve você vai ser taxado de reacionário, vão dizer que você é um caso perdido e seu nome vai se tornar praticamente um palavrão tanto para a esquerda como para os conservadores que verão... bem, já estão vendo em você uma ameaça ao que consideram "valores morais da família brasileira".

– Puta que o pariu, Almeidinha! Para de me encher o saco com esse delírio. O Tom me falou de uma pessoa bem diferente. Um cara sensível, criativo, não um esquizofrênico delirante. Podemos mudar de assunto? – Nelson tirou do bolso um livrinho com uma cena erótica na capa. – Quer falar de poesia francesa? – provocou.

– Só mais um instante, Nelson. Por favor, atenha-se ao que estou lhe dizendo. Queria lhe pedir encarecidamente que me ajude a articular uma saída política para evitar... tudo bem, vamos lá... a *revolução*. Evitar a revolução que os militares estão planejando para impedir a suposta chegada do comunismo a Brasília. Eu também não quero o comunismo, nem eu, nem o Kennedy, nem a Igreja Católica, nem o Roberto Marinho, nem o Magalhães Pinto, nem a maioria dos brasileiros. Tenho repulsa pelo autoritarismo comunista, mas a ditadura vai torturar. Aliás, vai torturar até o teu filho, acusado de terrorismo!

– Nelsinho? – Nelson gargalhou. – Nelsinho é meio indisciplinado, mas tá no colégio militar. O sonho dele é ser aviador da Aeronáutica. Esquece isso! – Virou-se para trás. – Chico, me traz a porra da conta que esse Sobrenatural de Almeida tá me assombrando aqui.

Nelson Rodrigues se levantou e saiu do restaurante sem sequer se despedir de Almeida. Havia sido uma noite terrível para ele, com tiro na reestreia de sua peça, vaias demoradas, pessoas fugindo como se ele tivesse lepra e, para terminar, no momento em que esperava alguma dose de descontração, lhe apareceu um sujeito alucinado querendo que ele mudasse o futuro como se o futuro fosse o roteiro de uma peça de teatro.

Não, Nelson não era o tipo de cara que iria articular uma saída política para evitar que os militares trancafiassem os radicais de esquerda, embora mais tarde fosse pedir pessoalmente pela libertação de artistas contrários à ditadura. Na pressa, havia esquecido sobre a mesa o livro de poemas eróticos que Almeida, depois de certificar-se de que ninguém o vigiava, rapidamente escondeu no paletó.

"Uma relíquia", pensou. "Influências literárias do anjo pornográfico em primeira mão!"

Almeida pegou um táxi na porta do Nino e seguiu rumo a Ipanema, a cabeça latejando. Pelo rádio, ficou sabendo que, depois de voltar da China e passar pelo Uruguai e por seu Rio Grande do Sul, Jango já estava a caminho de Brasília. Nada diferente dos livros de história. A grande surpresa de Almeida veio ao saltar do táxi, na frente do hotel Arpoador.

Deitada no asfalto... em roupas calientíssimas... estava a loira amiga de Nara. Almeida ajoelhou-se, pensando que a moça estivesse desacordada, ou mesmo morta. Seria a pior das tragédias rodriguianas. Mas, assim que ele a tocou, a loira abriu os olhos e, como quem prega uma peça muito bem ensaiada, lhe fez um pedido ardente:

– Me beija na boca, Almeidinha!

15

Depois de uma noite gloriosa nos lençóis do hotel Arpoador, Almeida acordou inspirado e foi caminhar pela praia. Como de hábito, andou de terno e pés descalços por toda a extensão da areia de Ipanema. Quando estava quase chegando ao Leblon, seu celular começou a vibrar. Almeida percebeu que era a décima vez que alguém lhe telefonava. Escondeu-se para atender.

– Tom, queridíssimo, me desculpe a demora.

– Almeidinha, a coisa é séria. Preciso de você.

– Agora? Sim, mas... estou com os pés enfiados na areia.

– Anda logo. É urgente!

Ele foi.

Desceu a escada do edifício e chegou ao subsolo. A porta estava entreaberta, e Tom, novamente, ao piano.

– Entra logo, Almeidinha. Fecha a porta e ouve isso!

Tom dedilhou no piano a melodia da canção que, em breve, seria batizada como "Garota de Ipanema". Almeida tentou fingir que a estava ouvindo pela primeira vez.

– Sublime! Você está terminando de compor?

– Não seja bobo, Almeidinha. Eu sei que você já conhece esta canção e sabe que vai ser um sucesso.

– Sim, sim, mais até do que os Rolling Stones!

– Quem?

– Ora, Tom. Eu fico confuso. Algumas coisas você sabe, outras, não.

– Pois é, Almeidinha, eu adoraria saber de tudo, mas no momento tô concentrado nisto aqui. Preciso terminar esta letra. Em poucos dias começo uma temporada de shows com João e Vinicius, e não posso chegar de mãos vazias.

– Só uma dúvida, Tom. – Almeida resolveu testar os conhecimentos do maestro sobre o futuro. – Você conhece a Anitta?

– Quem? Vai me dizer que agora tá saindo com alguma dançarina espanhola?

Almeida ficou ruborizado.

– Não, Tom. Estou falando da cantora pop brasileira. Vai ser fenômeno mundial!

– Cantora brasileira famosa no mundo, até onde eu sei, é só Carmen Miranda. Se alguém quiser repetir a façanha, meu chapa, vai ter que rebolar muito!

– Exato, exato, a Anitta faz exatamente isso, e canta de maneira incrível. E mais, vai dar uma polêmica terrível quando ela falar que brasileiro só quer saber de transar, e colocarem isso na capa de uma revis...

Tom interrompeu:

– E por acaso não é assim?

– Vão tirar a frase do contexto, Tom. Anitta vai ficar danada, com toda razão, mas, enfim... Tom, isso é mais adiante, não importa agora. Só falei da Anitta porque acho que você iria se orgulhar dessa garota: ela usa sua fama mundial e incrível inteligência para defender nossa democracia, e soube que anda expondo as incoerências do Jairo publicamente!

– Ora, ora, Almeidinha. Você sempre se antecipando aos fatos. Quanta sensibilidade falar de uma garota assim! Pois nossa nova canção é justamente pra uma garota, uma loira...

– Anitta tem cabelos escuros.

– Uma loira que vai à praia aqui em Ipanema, perto do bar do Veloso. Ela deixa nossa mesa em silêncio.

– Helô Pinheiro? Também vai ficar famosa... Mas ela não é menor de idade? Me preocupa o efeito *MeToo*...

– Hein? Não sei, não faço ideia se ela é menor de idade, só sei que a garota loira inspirou o Vinicius e ele começou essa letra. Mas, a realidade é que eu acho que a garota merece ainda mais, morou?

– Morei, sem dúvida.

– Ouve, então. Me diz o que você acha: *Vinha cansa...do de tudo... de tantos caminhos... tão sem poesia.*

– De fato, não é o melhor verso do nosso gênio da poesia. Agora é a minha vez de dizer, maestro: quanto pessimismo!

– Eu sei, eu sei... por isso te chamei aqui, porque você sempre encontra uma virada no fim. Acho que o Vinicius tá de saco cheio do Itamaraty, querendo mais liberdade pra fazer show, tomar o uísque dele em paz... O resto é bem bonito, ouve! *Eu vi a menina... que vi...nha num passo... cheia de balanço... caminho do mar.*

– Esse trecho está mais próximo do que eu imagino que seja a letra certa para essa melodia, mas, como posso lhe dizer... – Almeida travou os lábios, abriu as narinas e apertou as rugas ao redor dos olhos, num claro sinal de sofrimento.

– Anda, Almeidinha, solta essa língua! Você sabe que é isso que eu espero de você! O que mudaria na letra?

– Bem... muito modestamente, meus versos seriam um pouco diferentes. Quer ouvir?

Ao ver o sorriso de Tom, Almeida botou as mãos na cintura, pigarreou como quem prepara a voz, e disparou, afinadíssimo desta vez:

– *Olha que coisa mais liiiiinda mais cheia de graaaaa...çaaa.*

– Isso, isso! Continua!

Tom terminou de acender o charuto, e passou a acompanhá--lo no piano.

– *É ela, a menina que vem e que paaaaas...sa, num doce balanço...*

E os dois cantaram em coro:

– *Caminho do mar!*

No fim da canção, Tom levantou-se emocionado para abraçar Almeida e, tirando o charuto da boca, deu-lhe um beijo estalado no rosto.

– Gênio, gênio, gênio! Essa é a letra que vai chegar ao primeiro lugar das paradas!

Almeida, profundamente envaidecido, avermelhou-se tal qual um pimentão de Quixeramobim.

– Na realidade, Tom, me inspirei na loira, amiga de Nara. Para mim, *ela* é a verdadeira "Garota de Ipanema".

– "Garota de Ipanema"? Bonito isso, Almeidinha! Eu estava chamando essa canção de "Menina que Passa". Mudo?

– Mude, Tom. Mude! Posso lhe garantir que a sua "Garota de Ipanema" vai fazer história!

Tom foi tomado por um sentimento imenso de gratidão e convidou Almeida para ir, no dia seguinte, à boate Au Bon *Gourmet*. Num show inédito, apresentaria a nova canção em público pela primeira vez.

– Mas, Tom... o Vinicius não vai mesmo se importar ao ver que alterei a poesia dele? Não sei se devo ir ao show.

– Nada disso, parceirinho modesto. Se o Vinicius pode fazer música com o Baden, eu posso fazer com você, ora bolas! De qualquer forma, você não faz questão de ter seu nome nos créditos, faz?

– De maneira nenhuma, Tom. Se o ajudo é apenas e tão somente porque tenho enorme apreço por você e pela genialidade de sua música. Mas isso não significa que vamos assinar "Tom, Vinicius e Almeida". De maneira nenhuma! "Garota de Ipanema" é e sempre será de Tom e Vinicius.

– Você é um *gentleman*, querido Almeida. No show de amanhã, ao lado de João Gilberto e de Vinicius, farei uma menção à sua gentil colaboração. Vou reservar uma mesa pra você bem perto do palco. Será que Lígia não quer vir?

Almeida sentiu-se envergonhado e confuso mais uma vez. Afinal, Tom sabia ou não sabia de tudo sobre o futuro? E foi de novo tomado por uma imensa culpa.

– Não... Tom... Estou com uma saudade imensa de Lígia, mas sigo profundamente envergonhado por tudo o que fiz. Achei que você soubesse da insensatez deste meu coração sem cuidado.

– Bonito isso, hein? Posso anotar?

– Pode, claro. Mas o que foi que eu disse?

– Você me falou da insensatez que você fez... Esquece, Almeidinha, não quero que você fique se culpando ainda mais. Enfim, não precisa me dizer quem vai ao show com você. Tua mesa vai estar reservada. Dois lugares. Tudo por minha conta!

16

Saindo da casa de Tom, Almeida foi até a praia e resolveu esticar um pouco. Estava em êxtase. Sentia como se a magia de 1958 estivesse no ar outra vez. E aquele 1962 já merecia entrar para o hall dos "anos que não deviam terminar".

Seu famoso pessimismo estava, de fato, dando lugar à esperança. Almeida ouvia o povo comentando nas ruas que Garrincha marcara quatro gols, mas dera mais de sessenta dribles geniais, e fazia semanas que a Copa tinha acabado. E Almeida também tinha a forma de graveto envergado, também era um anjo imperfeito como o melhor jogador do bicampeonato.

Enquanto caminhava rumo ao Arpoador, Almeida sentia que, de fato, a esperança aflorava. Nele e nas ruas. Contagiado pelo clima de euforia com o sucesso do Brasil, voltava a pensar que talvez aqueles anos fossem mesmo dourados.

Falava para quem quisesse ouvir:

– Por que me ufano do meu Brasil? Porque somos, afinal, o país do improviso e da arte, criadores da melhor música do mundo!

Ainda que apenas um ano antes o Brasil tivesse se livrado de um golpe de Estado, ainda que rumasse para o maior iceberg de todos, Almeida voltara a enxergar as coisas boas do país.

– Garrincha, pernas tortas como as minhas... mais um gênio brasileiro!

E, claro, ele jamais se esquecia de Tom.

– Tom é o maior! – exclamou, como se dialogasse com o vento.

Depois de todas as dificuldades que enfrentara, Almeida sentia-se um grande privilegiado por estar vivendo alegrias tão únicas, como participar do nascimento de "Garota de Ipanema", e conviver com pessoas que, até pouco tempo, eram para ele apenas ilustres brasileiros emoldurados nos quadros da história. Quase se esquecia de que o Brasil seguia desgovernado, prestes a se esborroar nas profundezas de um abismo sem democracia.

Chegando ao Arpoador, entrou pela Francisco Otaviano e foi até o Posto Seis, onde, ainda tomado de nostalgia, viu o lindíssimo Forte de Copacabana.

– A perfeita mescla entre a natureza e a arquitetura. Que cidade! Que país magnífico!

O Forte era um lugar emblemático, concebido para defender o Brasil de Portugal depois da Independência, que só fora construído em sua forma definitiva nos primeiros anos da República, em 1908.

A imaginação de Almeida voltou no tempo, e ele ficou sonhando com a vida que tinha brotado, virgem, naquela mesma praia, antes da chegada do homem que possuía pólvora e espelhos, na época em que os indígenas andavam com seus balangandãs de fora, e as indígenas viviam em paz com seus corpos morenos, como se fossem as primeiras Anittas, perfeitamente integradas à Natureza pura de um Brasil ainda puro, livre e de bunda de fora.

Dessa vez, pensou nisso sem a velha crítica que sempre fizera à selvageria dos europeus com os indígenas, e de certos grupos indígenas com outros indígenas.

– Ondas que simbolizam a impermanência, a eterna transformação a que toda forma de vida se submete, essas ondas beijando as pedras de Copacabana.

Almeida pensou que falasse sozinho no descampado do Forte de Copacabana, mas, quando se virou para trás, viu dois militares vindo em sua direção. Logo sentiu aquela conhecida pressão sobre as têmporas e sobre os ombros.

Lembrou-se de que a República brasileira nascera de um golpe. Em 1889, por decisão de um pequeno grupo liderado pelo marechal Deodoro, os conspiradores derrubaram o imperador Pedro II. Por mais que fosse um fã declarado da rainha da Inglaterra e tivesse até um bonequinho dela sobre sua mesa de trabalho, Almeida não era monarquista, de maneira nenhuma. Mas sempre se chocava ao pensar que os brasileiros não tinham participado da Proclamação, pois o destino só fora comunicado ao povo pelos jornais, no dia seguinte.

Quando se virou novamente para trás, viu que os militares já estavam em seu cangote.

17

Pelas medalhas, eram dois oficiais de altíssima patente. Ainda muito inspirado e distraído, Almeida finalmente olhou nos olhos de um deles e foi tomado de surpresa.

– Geis... general, é mesmo o senhor?

– Claro que sou eu, Almeidinha – Geisel reagiu muito simpático.

– General Ernesto Geisel, futuro presi...

– Pare de bobagens! Deixe que lhe apresente meu grande colaborador, o coronel Golbery, que, bem... que está num momento meio complicado.

– Golbery, o general da censura e, bem, de certa forma... da abertura!

"Acabou a poesia. Cale-se!", Almeida pensou, reprimindo-se por tamanha tolice.

Golbery o ignorou.

Almeida travou o sorriso, e ficou com aquela palavra presa na garganta. "Cale-se!" Respirou fundo e tentou nova abordagem.

– Golbery do Couto e Silva, aprecio imensamente sua habilidade com as palavras, ainda que com frequência elas não expressem o que eu desejaria ouvir.

Almeida sabia que mais tarde Golbery se tornaria importante para dar um fim à ditadura, e por isso tinha um paradoxal apreço por ele. Melhor dizendo, não sentia apreço: o via como *necessário*.

Às vésperas do Golpe, no entanto, Golbery ainda era única e exclusivamente o conspirador que defendia a criação de um serviço de informações, ferramenta cruel da ditadura.

"Cale-se, Almeidinha. Ou eles colocam você na cadeira do dragão!"

Então lhe caiu a ficha: aqueles homens estavam reunidos ali justamente para tramar o golpe que Almeida pretendia evitar.

– O que traz Vossas Excelências a tão prazeroso logradouro público? – Almeida perguntou.

O silêncio de Golbery era constrangedor.

– Não repare, prezado Almeidinha. O coronel Golbery está num momento difícil. Faz pouco tempo que deixou o Exército. Decisão voluntária, mas muito penosa. Por isso viemos aqui respirar esta brisa.

Almeida desconfiou que aquilo não passasse de conversa para boi dormir, e teve certeza de que os dois estavam ali para conspirar... ou para evitar que *ele* fizesse algo para impedir o Golpe. Geisel parecia falar em código.

– Estávamos agora mesmo admirando a autoridade das ondas na maneira impositiva com que batem nessas rochas apáticas e inertes. Há coisas que precisam ser derrubadas. É natural!

– Pois é, general, esse mar é deveras mesmerizante – Almeida desconversou, querendo encontrar algum ponto de concórdia antes de chegar ao confronto que realmente lhe interessava. – Confesso-lhes que prefiro Ipanema, mas, hoje, para minha sorte, bons ventos me enviaram até os senhores.

– A caserna sabe de tudo, como você deve saber.

– Sei muito bem. O quartel tem olhos e ouvidos apuradíssimos, general Geisel.

– E nós sabemos da sua fama de redator de discursos. Temos acompanhado sua movimentação por Brasília. Não estamos...

Almeida ficou nervoso, lembrou-se dos horrores que os militares fariam com Vladimir Herzog, jornalista aguerrido como ele. E interrompeu Geisel:

– Espere, general. Deixe que lhe explique: estou apenas tentando evitar derramamentos de sangue. Digo aos senhores que meu único propósito é garantir a estabilidade das instituições democráticas brasileiras para evitar um trauma para o nosso povo.

– Nós também, sem dúvida alguma – disse Geisel, seco.

– Exatamente! – Almeida disse, aliviado. – Sei que, no fundo, ainda que de um jeito não convencional, os senhores avaliam que estão fazendo algo de bom para o Brasil. Por isso considero inacreditavelmente auspicioso este nosso encontro aqui em Copacabana.

Golbery finalmente abriu a boca.

– Pois eu estou com asco, Almeida. Asco do medo e da pusilanimidade dos meus colegas! Foram os fatores essenciais para, em nome da tal *legalidade*, permitir a posse deste comunista João Goulart. Conseguimos domá-lo consideravelmente com a imposição de um sistema parlamentar, mas ele quer plenos poderes para implantar o comunismo aqui, e isso não podemos permitir.

– Mas o senhor não acredita que o Brasil possa viver numa democracia plena, sem intervenções?

– Lamentavelmente, caro Almeida, o eleitorado brasileiro não merece confiança. Precisa ser tutelado para não cair nas garras dos demagogos – retrucou o coronel Golbery. – Viu o que aconteceu com Getúlio? Ora! E o paspalho do Jânio? O povo não sabe votar! E os presidentes civis só nos apresentam roubalheira e desordem.

– Mas, coronel...

– A economia está em frangalhos, com uma inflação que nos come os salários e uma dívida externa impagável. De maneira nenhuma, Almeida! O povo brasileiro não está preparado pra viver numa democracia. Sem falar que Jango tenta seduzir o presidente Kennedy fingindo-se moderado, prometendo *reformas de base* que são apenas o disfarce de um plano marxista. No entanto, Kennedy sabe que está lidando com um frouxo... e está do nosso lado!

– Mas, coronel, o senhor...

– Deixa eu terminar! Em nome do desenvolvimento nacional, temos que centralizar o poder, e para isso, lamentavelmente, precisaremos suprimir alguns dos valores que definem a ordem democrática.

– Mas, coronel... E a liberdade? Entendo nossa tragédia republicana. Mas lembre-se de que o senhor tentou impedir a posse de JK e fracassou... Foi preso, se não me engano. Acredita mesmo que o Brasil precisa de um regime autoritário para sair do atraso?

Mesmo notando a irritação silenciosa de Golbery, Almeida não se conteve e seguiu com seu raciocínio, na esperança de convencer o coronel a mudar de ideia.

– O que o senhor pensaria se eu lhe dissesse que um dia vai ser o responsável por desmantelar a ditadura sangrenta que terá atingido seu ápice com o general Médici... e que vai ser odiado por seus colegas militares que verão o senhor como pusilânime? Aliás, os dois... Vocês, juntos, vão julgar conveniente acabar com a ditadura maligna que matará nossos irmãos e arrasará nossa autoestima. E, diga-se de passagem, quando forem acabar com ela, o farão de maneira contundente, ainda que em benefício próprio.

– Você é um sujeito engraçado, Almeida. – Golbery finalmente mostrou seu famoso lado bem-humorado. – Até lhe agradeço a brincadeira, ainda que tola, pois suas prédicas me fazem rir. Mas estou precisando mesmo rir de alguma coisa para esquecer os colegas fracos que não fizeram a revolução depois da renúncia de Jânio.

Almeida achou que a fera tivesse baixado a guarda e resolveu partir para cima, decidido a domá-la.

– Quero acreditar que o senhor ainda não está imaginando a monstruosidade em que vai se transformar o seu SNI: um covil de torturadores que assombrará a nossa gente. – Almeida foi ficando rosado, e depois vermelho como um pimentão de Quixeramobim, com os olhos a ponto de saltar: – VOCÊS DOIS PRECISAM PARAR DE CONSPIRAR CONTRA A DEMOCRACIA, OU IRÃO SE ARREPENDER AMARGAMENTE!

Como se toda a esperança se lhe esvaísse, Almeida sentiu uma espuma saindo pelos cantos da boca, e se limpou com a manga do paletó. Doeu-lhe a lembrança de que ditadores e torturadores jamais seriam julgados – menos ainda, punidos – quando se fizesse um acordo silencioso e sujo para que tudo fosse varrido para debaixo dos tapetes da história. Teve vontade de chorar pelo Brasil, mas se controlou.

Dando a impressão de que nada daquilo lhe importava, Geisel abaixou-se para amarrar o cadarço da botina, levando Almeida a um quase incontrolável impulso de empurrá-lo nas pedras em direção ao mar. Chegou a armar o empurrão, mas lembrou-se do fracasso com a adaga de Jânio, temeu a reação de Golbery e desistiu. Logo se arrependeu de pensamento tão tolo!

"Se acabo com Geisel e assim mesmo o Golpe acontece, vai ser mais difícil fazer a anistia depois!"

Almeida não percebeu quando Geisel se levantou irritado e partiu com tudo para cima dele. O general desferiu um soco certeiro no supercílio de Almeida, que tombou zonzo sobre as pedras do Forte.

– Você passou dos limites, rapaz!

O sangue que lhe descia do supercílio golpeado por Geisel era também o que lhe subia à cabeça. A adrenalina disparou, e Almeida foi tomado de uma imensa coragem.

– JK, Jango e Lacerda mortos em apenas dez meses? Quanta coincidência, hein? – ele falou alto, e depois, dando-se conta de que estava, novamente, se antecipando aos fatos, murmurou: – Justamente quando eles trabalhavam pela volta da democracia...

– De que diabos você fala, rapaz? – Golbery perguntou, com uma cara diabólica. – O soco lhe fritou os miolos?

Almeida estava plenamente consciente do que dizia. Conhecia os testemunhos que seriam revelados anos mais tarde, com indícios de que os ex-presidentes JK e Jango, e o ex-governador do Rio, Carlos Lacerda, foram assassinados entre 1976 e 77. E, de acordo com uma linha de acusação, teria sido por ordem do governo militar, justamente na época em que os três eram os líderes dos maiores partidos extintos pela ditadura.

Enquanto ainda limpava o sangue na calça de sua farda, Geisel voltou a falar, como se nada tivesse acontecido:

– Os três políticos mencionados estão vivos. Portanto, sua fala não merece crédito. Sobre o tal *golpe*, também fruto de sua imaginação, não responderei. No entanto, a tortura, em certos casos, pode se fazer necessária, sim, para arrancar confissões. Como você acha que os subversivos vão confessar seus crimes? – Geisel ofereceu a mão para que Almeida se levantasse, e o puxou. – Terroristas e conspiradores só falam depois de uns bons golpes na cara, não é mesmo, Almeidinha? Bota o sujeito num pau de arara, arranca as unhas dele, dá uns choques... Me diz se não fala!

– Prefiro não falar, general.

– Vai falar sim! Se eu boto um ferro pontiagudo no teu rabo, você fala ou não fala?

Apavorado, vendo a grossa fivela do cinto que o general trazia à cintura refletir alguns raios de sol, Almeida sentiu seu músculo puborretal contraindo-se, mas esforçou-se para dar uma resposta digna a seu agressor:

– Claro que falo, general. Sou jornalista, sociólogo, redator de discursos. Sempre irei falar. Pelo que vejo, se um dia o senhor for presidente, o que me parece provável, o extermínio de opositores será tratado como política pública. Se o seu substituto for um tal Figueiredo, também ele estará com as mãos imundas, como as suas estão agora.

– Que bobagem é essa, rapaz? Figueiredo presidente? Tenha dó.

Recompondo-se, usando a gravata para limpar o sangue que lhe escorria pelo rosto, Almeida resolveu ser pragmático e ignorar aquela situação violenta. Saiu-se com uma proposta cordial, algo que poderia fazê-lo retomar ao menos um pouco de sua recém-adquirida esperança.

– Senhores – ele pigarreou – por favor, não me levem a mal, nem façam de mim um balão de ensaio para seus futuros métodos. O que estão planejando agora contra João Goulart pode abrir uma ferida imensa em nosso país. Tentem uma candidatura militar pelas vias legais nas eleições de 65! Não derrubem o presidente, por pior que ele seja. Estou certo de que os senhores têm algumas boas intenções, e que vão refletir sobre isso.

Os militares riram e viraram as costas.

– Eu te falei, Geisel... quando nós vimos esse tal Almeida sozinho aqui, eu te falei que ele era um borra-botas. Vamos andando porque o embaixador Gordon é pontual.

– Preciso lavar minha mão – Geisel disse, vendo uma quantidade grande de sangue ainda em seus dedos.

– Vai se acostumando, ora! – Golbery disse, sorrindo.

Enquanto via os militares desaparecerem nas pedras do Forte de Copacabana, Almeida chorava e sentia a cabeça latejar.

Qual não foi sua surpresa ao encontrar, no bolso do próprio paletó, um papel timbrado com uma lista que, logo percebeu, trazia os nomes de 434 brasileiros assassinados pela ditadura.

– Stuart Angel, Zuzu Angel, Rubens Paiva, Vladimir Herzog, Lamarca, Marighella, comandante Crioulo, Dinaelza Coqueiro, Dinalva Teixeira, Epaminondas, Eremias, Esmeraldina... o poeta Gerardo Magela, Ishiro, Lígia Nóbrega, Lígia? Ismael,

Israel, Joaquinzão, Almeida... Meu Deus, vocês vão tirar minha vida também? Será que estou de fato mudando o fluxo inexorável dos acontecimentos e incluindo meu nome entre os torturados e mortos? Preciso encontrar Médici, Couto e Silva... ou o traíra do cabo Anselmo!

Levou um tempo até que Almeida se convencesse de que não era ele o Almeida da lista que a Comissão Nacional da Verdade entregaria a Dilma em 2014.

Claro que não!

Ele se lembrava até do discurso que havia escrito para a presidente na ocasião.

"Nós, que acreditamos na verdade, esperamos que este relatório contribua para que fantasmas de um passado doloroso e triste não possam mais se proteger nas sombras do silêncio e da omissão", e assim por diante.

Mal sabia Dilma que apenas cinco anos depois o presidente Jairo passaria a comemorar a ditadura como "um período de estabilização", de "fortalecimento da democracia" e "amadurecimento político", desejando reescrever a história que Almeida agora via se desenhar. Jairo exaltaria Geisel, Médici e até Stroessner, o ditador assassino do Paraguai.

Ao chegar à rua Joaquim Nabuco, a dor de cabeça e a tristeza mais uma vez davam lugar aos pensamentos positivos que ele estava aprendendo a cultivar. Mas Almeida tinha percebido algo fundamental: sua missão era dificílima, e não lhe bastaria apenas se nutrir de esperança para cumpri-la.

Quando parou diante de uma banca de jornais, o redator golpeado descobriu que o tempo havia avançado mais uma vez.

– Minha Nossa Senhora, o tempo voa... 1962 está quase acabando!

18

Lígia berrava no celular:

— Que 1962 merda nenhuma! Para de delirar, Almeida. A gente já tá em 2021 e o que pode derrubar o Jairo não é golpe... é gripe! Arrumaram mais um jeito de atrapalhar o trabalho dele.

— Que gripe, meu bem? Você e a Juju pegaram?

— Pegamos porra nenhuma, Almeida. Se pegar morre, não viu o Olímpio, aquele majorzeco que atacava o Jairo?

— Não vi. O que foi?

— Morreu de covid! O que a gente pode fazer? Lamentamos, claro. Dizem que morreram mais de quatrocentos mil, mas isso é assim mesmo. As pessoas morrem. Tarcísio Meira também morreu. Não é todo mundo que tem corpo de atleta que nem o Jairo. E ainda tem gente querendo botar a culpa nele, acredita?

— Mas, Lígia...

– Acusam ele de não ter apoiado o confinamento, mas o que você queria... que todo mundo ficasse em casa e a economia fosse pro brejo? Confinamento é coisa de vaca! Agora tão acusando ele de não ter comprado a vacina do Dória. Vai entender...

– Que vacina? Como assim... o governador Dória desenvolveu uma vacina em São Paulo?

– Cala a boca, Almeida! Essa puta do Arpoador deve tá te proibindo de ver o Face, né não? Porra! Cancelaram teu zap??? Você não sabe que o Dória mandou o Butantan fazer uma vacina chinesa? Vê se pode uma coisa dessas! Os chineses inventaram o vírus e depois inventam uma vacina vagabunda pra ele. O ministro Guedes lacrou! – Lígia forçou uma gargalhada irônica. – O que é que você acha disso?

– Não sei, meu bem, não sei absolutamente nada sobre esse vírus chinês. Estou ouvindo isso pela primeira vez. E fico absolutamente perplexo com o que você me relata: quatrocentos mil brasileiros mortos... Devo estar num pesadelo, só pode ser!

– O pior não é isso. O pior é que agora tão acusando o Jairo de ter recusado a vacina da Pfizer. Ele não queria mesmo vacina nenhuma, e tá certo, não tá? Se ele não toma vacina é porque não acredita. A gente tem que confiar que o nosso presidente tá fazendo o melhor que pode.

– Como assim, Lígia? – Almeida reagiu, indignado. – Negar-se a tomar vacina na Revolta em 1904 já era um absurdo, mas fazia algum sentido porque naquela época a ignorância era imensa e vacina era novidade. Agora, quanta vacina nós já tomamos? Difteria, tétano, sarampo, poliomielite, rubéola...

– Eu sei, cacete.

– Se não fosse a vacina contra a caxumba, talvez eu não estivesse aqui, ou você não sabe que meu tio-avô Quinzinho ficou estéril por causa da caxumba? Me diga que a Juju está vacinada, pelo amor de Deus!

– Porra, Almeida. Claro que não. Ela tá protegida por Deus, querido. E além do mais, todos nós do governo...

– *Nós do governo?*

Lígia passou a falar mais baixo:

– É, eu tô com um cargo aí... um carguinho na Saúde.

– Você no Ministério da Saúde? Tem rachadinha nisso?

– CALA A BOCA!

– Mas, meu bem, sua formação profissional é um curso técnico de Turismo e Hospitalidade no Senac. O que você entende de saúde?

– Vou desligar na tua cara, Almeida!

– Não, não, por favor, me diga: *vocês do governo* o quê?

– Nós estamos muito mais protegidos que todo mundo, é só isso. Chega, vou desligar.

– Espere, espere, Lígia. Continue...

– Aqui no ministério quase ninguém tomou essa vacina, querido. Nós tomamos i-ver-me-qui-ti-na!

– Mas isso não é remédio de vaca?

— Não, porra. A gente tomou ivermectina, azitromicina e cloroquina. O Jairo foi rápido, mandou aumentar a produção pra salvar nosso povo. Bem... Só os inteligentes se salvam, né?

— Mas que bom então que esses medicamentos estão funcionando. – Almeida não sabia da missa a metade. Sentiu, no entanto, que algo estava errado. – Que horror essa doença, meu bem. Se cuide! Mas... Você deu essas coisas à Juju?

— O que eu dou ou deixo de dar é problema meu, Almeida. Mas eu não dei remédio nenhum pra Juju, não. Ela vai fazer dezenove, já é de maior. E ela só toma cloroquina porque confia: é o nosso glorioso Exército que tá produzindo.

Almeida arregalou os olhos, corrigiu a posição dos óculos no rosto e deu uma volta de 360 graus sobre si mesmo para se certificar de que ninguém em 1962 o via com aquele aparelho grudado no ouvido.

— O Exército produzindo remédios?

— Claro. Porque, se a gente dependesse do Mandetta... – Lígia botou a mão na frente da boca, temendo ser ouvida por alguém no ministério. – Aquele ministro que teve aqui na Saúde... se dependesse dele, a gente tava ferrado! Ele jogou contra o Jairo, tava querendo ser candidato, acredita? Foi por isso que eu vim pra cá. Agora você entendeu???

— Você é espiã do Ja..

– CALA A BOCA, ALMEIDA! – ela berrou, e logo começou a sussurrar: – Eu vou te explicar: a coisa ficou tão estranha que deu até CPI.

– CPI do ministro?

– Não, querido. Covid! Os senadores traíras tão acusando o Jairo de uns absurdos só porque ele disse que era melhor todo mundo pegar logo o vírus pra ficar imune. Ah, e olha só isso: reclamam que ele mandou cloroquina pra Manaus quando teve um probleminha de falta de oxigênio lá.

– Falta de oxigênio nos hospitais de Manaus?

– É. Umas pessoas morreram sem ar, só isso. E aí fica esse Alexandre Moraes investigando o pobre do Pazuello, nosso ex-ministro, dizendo que ele sabia que o povo ia morrer e não fez nada.

– Mas realmente não fez nada?

– E agora vem aquele moleque, o Whindersson, fazendo escarcéu, com campanhazinha no YouTube pros *pobrezinhos* de Manaus. Já viu isso? Umas pessoas morreram, e daí?

– Mas quanta gente não deve ter morrido por causa dessas atitudes do presidente Jairo? A meu ver, tudo isso é terrivelmente negligente, Lígia! E foi justamente por isso que nós decidimos nos exilar em Paris.

– Nós porra nenhuma, seu corno! Você me mandou as passagens e desapareceu.

Almeida entendeu que aquele "corno" era só força de expressão, e seguiu sem abalos, tentando manter sua atitude positiva.

– Veja, meu bem: o que eu ia lhe dizer é que a postura de Jairo me parece deliberadamente despreocupada com a vida do nosso povo. Apenas isso.

– Tudo isso, Almeida... toda essa histeria... essa fantasia é pra prejudicar o Jairo e não deixar ele fazer o governo dele em paz. Faz tempo que o Olavo previu isso tudo.

– Estou absolutamente chocado com a inaptidão do presidente, sua falta de sensibilidade. Ele não tem projeto algum para o Brasil, nem ele nem o bruxo, Lígia! Esse governo é a sala de espera da morte!

– Porra, Almeida. Lá vem você com esse pessimismo! O Jairo já disse que não é coveiro. Ele sempre pensa positivo, entende? Ele quer passar ao povo a mensagem mais ufo... ufo...

– Ufanista...

– Isso aí. Ele quer mostrar que o Brasil vai vencer o vírus antes dos outros países.

– Meu bem, quem vence vírus é vacina, desde Oswaldo Cruz é assim.

– E por acaso você sabe se esse Oswaldo não tá mancomunado com os comunistas? – Lígia se exaltou novamente. – ELE TRABALHA AQUI NO MINISTÉRIO?

– Lígia, meu bem, vamos mudar de assunto, vamos? Estou lhe telefonando para dizer que minha missão deve terminar em breve. – Ele passou a sussurrar: – Minha missão aqui no passado, você entende, né?

– Entendo sim. Entendo que o delegado Andreatta me disse que você foi visto beijando uma loira, os dois deitados no chão, no meio da rua, no Arpoador.

Almeida ficou com as bochechas rosadas. Como seria possível que soubessem até disso?

– Meu bem... espere... não é possível que delegado algum veja as coisas que acontecem aqui, no tempo em que estou. De qualquer forma, meu bem, lhe peço perdão pela ausência tão longa. – Era a culpa novamente a lhe pressionar as têmporas. – Já faz muito tempo, eu sei. Estou consciente do quanto minha ausência pode estar sendo prejudicial a você e Juju. Aliás, ela mudou de telefone? Nunca me atendeu.

– Entrei com pedido de divórcio. *Rebelia.*

– Divórcio à revelia? Espere, Lígia. Por quê? Estou quase voltando, meu amor, espere só mais um pouco. E a realidade é que tenho sentido um aperto imenso no coração.

– Isso deve ser efeito colateral. Pegou a gripezinha da tua surfistinha, foi?

– Espere, Lígia, pare. Não peguei doença nenhuma, aqui onde estou não tem isso. Mas vou voltar assim que possível, acredite!

– Escuta aqui, seu cachorro! Eu já vi mulher chorar homem desaparecido, já vi mulher chorar homem morto, agora... marido fantasma que só aparece pelo telefone eu nunca vi! Esquece tua filha, ela não quer te ver nem com a camisa do Flamengo. Esquece tua Lígia e toca tua vida, come tuas putas do Arpoador enquanto eu como as picanhas do Itamaraty aqui em Brasília. Tenho que ir. O ministro Queiroga é novo, mandou me chamar.

– Mas, Lígia, espere...

Ela desligou.

Tomado de culpa e vergonha por mais um ato de traição que tinha sido descoberto, apavorado com a possibilidade de Lígia pedir mesmo o divórcio, Almeida levou as mãos à cabeça e, num raro gesto de desespero, teve vontade de se atirar na frente de um carro. Como poderia ter abandonado a mulher e a filha por tanto tempo... e ainda não ter conseguido nada?

Era preciso elaborar um plano mais eficiente e definir um prazo para voltar. Sim, um prazo. Voltaria, no máximo, na véspera do Golpe. Mas, enquanto isso, havia muito o que fazer!

19

ao entrar na boate Au Bon *Gourmet*, na avenida Copacabana, Almeida sentiu um frio imenso na barriga: "Garota de Ipanema" seria tocada em público pela primeira vez.

O nome francês do lugar fez com que ele voltasse a pensar em Lígia, com uma saudade imensa também de Juju. Sem falar que, para o redator de discursos convertido em letrista, a palavra *gourmet* carregava um mar de significados, o remetia diretamente às "baguetes crocantes" de que Lígia lhe falara quando estava em Paris. Por que terá sido que ela o chamou de "corno"?

Tomado por uma fome repentina, Almeida roubou um croquete de carne da bandeja de um garçom que passava ao lado. Ainda com a boca cheia, acenou para Nara, Ronaldo e Menesca, que estavam meio apertados numa mesa lateral, até, enfim, chegar à que lhe estava reservada. Um luxo! Era diante do palco, na melhor mesa da boate, onde havia um papel escrito à mão: "Almeidinha, amigo do Tom".

Vinicius subiu num palco pela primeira vez na vida, e pela primeira vez ficou frente a frente com Almeida. Enquanto era aplaudido, curvando-se gentilmente em direção aos fãs, o encarou sem mostrar os dentes. Almeida abaixou os olhos.

"Sei que está magoado porque mudei alguns versos", pensou.

Tom subiu ao palco em seguida e foi ovacionado. Deu uma piscadinha para Almeida.

O poeta e o maestro ficaram lado a lado, cada um no seu banquinho, atrás de um piano branco e sem cauda. No centro, havia um outro banco e um violão à espera de alguém.

Almeida viu João Gilberto entrar sob fortes aplausos e quase chorou. "A voz da bossa", pensou, emocionado. Atrás de João, Almeida reconheceu os quatro cantores do grupo vocal Os Cariocas.

Não faltava nada.

Bem... faltava!

Espremida num top branco e numa saia dourada que lhe realçavam as curvas, a loira amiga de Nara chegou apressada. Encheu-lhe de batom e se sentou a seu lado.

Discreto, timidamente, Almeida passou um guardanapo na boca. Arrumou-se na cadeira, endireitou a gravata e ajeitou o terno com as mãos. Era como se, ao espanar a poeira, pudesse fazer o mesmo com a culpa que retumbava sincopada, no ritmo do violão de João.

Almeida ficou meio de lado, numa posição em que Vinicius não o via. Segurou na mão da loira como se nela buscasse conforto e, quando os três começaram a cantar "Menina que Passa", ou melhor, "Garota de Ipanema"... sentindo-se mais canalha que Eduardo Cunha, de costas para o palco, Almeida agarrou sua amante num beijo que durou a canção inteira.

Se alguém os visse, pensaria que o casal estava profundamente apaixonado. E eles se beijavam até mesmo enquanto a plateia assoviava e aplaudia de pé a canção mais linda que o Brasil já tinha ouvido.

Entretanto, o momento mais importante da noite veio ao fim, quando Tom saiu de trás das cortinas e puxou Almeidinha pelo braço para levá-lo ao camarim improvisado do Bon *Gourmet*. A loira, por um grande acaso, tinha ido ao banheiro, e acabara se perdendo por lá.

– Almeidinha, vou viajar... e preciso que você venha comigo.

– Mas pra onde, Tom? Eu não pos...

– Pode sim, Almeida. Tô precisando de você com uma imensa urgência. Nunca viajei de avião, tenho que ir a Nova York pra esse show que inventaram aí... que eu não sei em que merda vai dar, mas preciso ir. A Teresa não quer ir comigo. Preciso de você, amigo. Vamos?

Finalmente lhe caiu a ficha.

– O show histórico do Carnegie Hall???

– Se vai ser histórico eu não sei, pode dar uma cagada histórica também, mas é lá mesmo.

– Queridíssimo maestro, fico absolutamente lisonjeado, mas, assim mesmo... não posso deixar tudo o que estou fazendo aqui, não posso abandonar minha missão, que você conhece tão bem, a missão de restituir os rumos democráticos do Brasil, evitar o maldito Golpe de 64, não posso...

– Porra, Almeidinha, para de ensebar! A gente vai ali por uns dias e volta, ainda antes do Natal. Você vai ter o ano de 63 inteiro pra resolver isso.

– Mas não é só isso. Lígia disse que pode se divorciar a qualquer momento, à revelia. Preciso agir logo e voltar, ou acabarei perdendo minha mulher. E ainda tenho de resolver as coisas com Juju.

– Calma, amigo. Calma. Você sabe muito bem que na hora certa eu te ajudo!

– Está bem, Tom. Não tenho mesmo como lhe negar pedido algum. Se é para ajudá-lo, irei!

20

ovembro chegou num assovio. Na tarde esperada, Almeida desceu pela escada do edifício até o apartamento de Tom, onde, pela porta entreaberta, o viu zanzando entre a sala e o quarto, meio desgovernado, ainda fechando a mala, sem o notar ali. Não entendeu bem por que o maestro havia deixado tudo para a última hora. Afinal, tocar em Nova York não iria mudar sua vida para sempre?

Parecia que Tom não queria ir, que precisava de Almeida para lembrá-lo de que, no futuro, aquele esforço seria recompensado.

No Galeão, os dois foram os últimos a entrar no avião da Varig que os levou a Nova York.

Na histórica noite de 21 de novembro de 1962, no banco de trás de um luxuoso Crown Vic conduzido por um motorista devidamente paramentado, quando passaram pela Times Square, emocionados, Tom e Almeida se abraçaram eufóricos.

– Porra, Almeidinha, chegamos! Você me salvou, salvou a bossa nova!

– Será, Tom? – Almeida disse às lágrimas. – Será que é essa a minha verdadeira missão?

O Crown Vic fez uma curva acentuada e, antes que Tom pudesse responder, chegou ao Carnegie Hall.

Tom e Almeida saltaram às pressas do carro, correndo da chuva, e, ainda afoitos, passaram pelo meio da multidão no saguão principal. Ouviram alguns aplausos. Miles Davis tentou se aproximar, mas eles iam tão apressados que nem viram o genial trompetista. Tony Bennett, que estava ali para ver João Gilberto, quis saber de Miles quem eram os dois ensopados.

– O de terno branco é o Jobim, compositor de "Desafinado". O de terno escuro... bem, acho que é um letrista que trabalha com ele.

Tom foi trocar-se no camarim e deixou Almeida, ainda molhado, assistindo ao show da coxia, atrás da uma imensa cortina de veludo vermelho. Ele ficou espantado ao ver a multidão: umas três mil pessoas, entre americanos e brasileiros, ansiosas pelo que havia sido anunciado como "Noite da bossa nova, o jazz brasileiro".

Logo que Normando abriu um sorriso orgulhoso e deu os primeiros acordes no violão, Almeida começou a se dependurar na cortina lateral do palco, e depois se enrolou no veludo, cobrindo-se da cabeça aos pés, como se quisesse mesmo desaparecer. Mal sabia que seu ato desesperado chamava mais a atenção da plateia que o próprio cantor. Almeida foi salvo, e as pessoas pararam de olhar para ele quando o microfone de Normando parou de funcionar.

– Minha Nossa Senhora de Copacabana... isso vai ser um fiasco!

No entanto, assim que Normando percebeu o problema, ligaram o microfone.

– *No hear? No hear?*

Normando voltou a ser escutado, Almeida largou a cortina e ficou ali, já quase completamente seco, em seu aveludado camarote.

Quando Menesca foi cantar "O Barquinho", atrapalhou-se com a letra. Almeida virou de costas para não ver o palco, segurou de novo na cortina e acabou levando abaixo um pedaço.

Enquanto se levantava, ouviu alguns "*oooohhhs*" na plateia. Ainda zonzo, falou sozinho:

– Eu disse para esquecerem isso de chapeuzinho e barquinho!

Ele se preocupava terrivelmente com as consequências daquele show que começara cambaleante. Preocupava-se muito com seu amigo Tom, e também com os outros, é claro.

– Será que é o fim também da música brasileira?

Almeida sabia, no entanto, que, apesar de alguns momentos desesperadores e muitas críticas negativas, o show no Carnegie Hall teria momentos inesquecíveis, e ajudaria a divulgar pelo mundo aquilo que o Brasil tinha de melhor.

Exato!

"O que temos de melhor!"

Almeida não conseguia entender como um povo tão brilhante para a música e para as artes em geral podia caminhar tão trôpego na política. Teria sido a esse "oba-oba" que Tom se referira num dos primeiros encontros? Seria possível que o brasileiro só se destacasse naquilo que dependia puramente de talentos individuais, e não da coletividade?

"Que besteira! Fazemos o maior show da Terra no sambódromo... Acabamos de ser bicampeões do mundo num esporte coletivo", Almeida pensou, aliviado.

Depois da Independência, em 1822, o país que sempre fora usado pelos europeus como uma terra de extração e exploração passara a ser explorado por seus próprios nativos, especialmente pelos herdeiros dos herdeiros dos amigos do imperador, como se fosse lícito arrancar do Brasil até as unhas em benefício próprio, ou melhor... como se essa nação fosse uma mãe distraída a quem todos os filhos podiam roubar descaradamente com a certeza de que seriam perdoados por seu interminável amor materno. Cadeia? Só para os pobres, para os pretos e para o Sérgio Cabral.

Uma lágrima densa escorria pelo rosto de Almeida quando Tom se aproximou dele, já vestindo *black tie*.

– Tá na minha vez, Almeidinha. Torce por mim!

Enxugando o choro emocionado, num sorriso de quem se esforça para não perder a esperança, Almeida exclamou:

– Lacra, maestro!

Tom Jobim não ouviu direito nem teria entendido a expressão que Almeida aprendera com a filha Juju, mas sorriu para o amigo, que finalmente saiu da coxia e foi se sentar no lugar que lhe estava reservado na primeira fila.

O maestro tocou os primeiros acordes de "Samba de uma Nota Só", mas, esquecendo-se da letra, decidiu parar. Visivelmente nervoso, ajeitou a franja que teimava em lhe cair sobre os olhos.

Silêncio no Carnegie Hall.

Almeida esfregou os olhos querendo crer que aquilo era só uma nuvem passageira, respirou fundo e gritou:

– VAI, TOM, LACRA!

Tom Jobim olhou para ele sem entender que diabo dizia, mas assim mesmo lhe deu uma piscadela e recomeçou. Parecia ter encontrado a inspiração que lhe faltava.

– *E quem quer todas as notas... Ré, mi, fá, sol, lá, si, dó... Fica sempre sem nenhuma...*

Mas por que Tom não tirava os olhos de Almeida enquanto cantava aquelas palavras? A bem da verdade, fazia mesmo tempo que ele não ficava numa nota só. Dormia com a loira amiga de Nara praticamente ao mesmo tempo que tentava convencer Lígia de que um dia voltaria a seus braços, agora sabendo que poderia perdê-la. Ou o recado seria ainda mais sutil? Tom estava dizendo a Almeida que, se ficasse tentando intervir no passado e no futuro, querendo "todas as notas", acabaria ficando sem nenhuma?

Fique numa nota só!

Naquele momento, pela primeira vez, Almeida pensou que sua missão maior poderia ser no futuro, no tempo em que as coisas ainda estavam acontecendo, e podiam, de maneira muito mais lógica e coerente, ser modificadas. Se voltasse, tentaria convencer Lígia a desistir do divórcio, reconquistaria a qualquer preço o amor da filha Juju e poderia, quem sabe, se candidatar a uma vaga no Congresso Nacional. Afinal, Tom não dissera que Almeida era "o candidato ideal"?

Ele se levantou para aplaudir e descobriu que estava ao lado de Dizzy Gillespie, Gerry Mulligan e... ele mesmo, o gênio Miles Davis!

Todos aplaudiam de pé.

O Brasil que dava certo encantava Nova York.

Muita calma pra pensar, e ter tempo pra sonhar...

Era também o Brasil que produzia gênios. De João Pernambuco a Noel. De Pixinguinha a Ismael. De Villa-Lobos a Tom. E, conforme Almeida sempre dizia a Lígia, "muita coisa maravilhosa que ainda viria depois deles: de Gonzagão a Caetano, de Chico a Cássia, de Bethânia a Emicida".

Um cantinho e um violão, esse amor, uma canção...

Almeida se juntou ao coro:

– *Pra fazer feliz a quem se ama!*

Tom cantou tão lindamente que o Carnegie Hall veio abaixo. Almeida imitou o gesto de um homem de cabelos ondulados e pele escura que estava a seu lado e ficou de joelhos, abanando os braços, como se Tom fosse um rei.

E não era?

Ao se levantar do piano para agradecer, o maestro tropeçou num fio de microfone e quase caiu, mas os aplausos seguiram, reforçados pelos assovios e gritos entusiasmados de Almeida.

– Viva a bossa nova! *Fiu fiu...* O Brasil lindo!

Quando Tom saiu, o celular começou a vibrar no bolso de Almeida. Ele se levantou depressa, subiu no palco como se fosse a coisa mais normal do mundo, levou uma tremenda vaia, um olhar torto do apresentador americano que entrara para chamar a próxima atração, e passou batido pela coxia. Trancou-se num camarim vazio, sentou-se na cadeira de couro reservada aos artistas e ali, com os pés em cima da mesa de maquiagem, atendeu.

21

— Mãe Frederica, perdoe-me a demora em atendê-la. Você está bem?

— Viva eu tô, filho. Nunca apareceu ninguém pra cobrar aquelas duas faturas, e até agora esse vírus maldito não me pegou. Mas levou um caminhão de gente boa... levou o nosso Paulo Gustavo, cê viu?

— Não, não... que tragédia! Estou em Nova York, não vi nada, mas o que foi?

— O coitadinho não aguentou. E a pena que eu tô do Thales, filho? Pena desse nosso Brasil desamparado com um presidente que se recusou a comprar vacinas! E ainda mandaram a polícia na casa do Felipe Neto querendo intimidar ele, porque chamou Jairo de genocida. Medo eu não tenho, você sabe disso... mas não sei mais o que fazer, filho.

Mãe Frederica estava sentada no chão do terreiro, em desespero.

– Além disso, filho, tô farta de ser homossexual em terra de gente preconceituosa. Vontade de fazer como Jean Willys. Cansei, viu? A Bahia foi infestada de um conservadorismo peçonhento que trata a pessoa que não é branca, jairista e pentecostal como inimiga. Basta ver a última do Jairo Três.

– IT'S BUSY HERE, SORRY! – Almeida gritou, sem saber para quem. – Desculpe, bateram à porta do camarim. Última do quê?

– Do Jairo Três, um dos filhos do Jairo. Disse que tem pena da cobra.

– Mas de que cobra?

– A cobra que ia picar Miriam na sala onde trancaram a coitada.

– MIRIAM LEITÃO FOI PRESA? – Almeida gritou. – A TORTURA VOLTOU?

– Não, filho. Quer dizer, até onde eu sei, ainda não. Miriam foi torturada lá em 70 e pouco, nos tempos de Médici. Trancaram ela com uma jiboia e meteram uma carapuça na coitada.

– Ah, eu sei, uma desumanidade. E o filho do Jairo debochou disso?

– *Oxe*! Pois eu não lhe disse que o desgramado falou que tinha *pena* da cobra? Miriam criticou o pai dele, mas só disse que Jairo não é de democracia, que gosta de militar, essas coisas que todo mundo sabe.

– Miriam deu a entender que Jairo fosse gay?

– *Oxe*, filho! Tá difícil essa nossa comunicação hoje, hein? Não foi nada disso. Miriam falou que o Jairo é inimigo da democracia, só isso. Acho que precisamos de um grande acontecimento para que o Brasil volte a ser um país de diversidade e tolerância, como eu penso que um dia fomos.

– Sim, sim, mãe Frederica. Um grande acontecimento! É exatamente isso...

– Estou disposta a tudo, viu? Desde o que aconteceu aqui no terreiro eu sou outra, muito mais forte, combativa e decidida a enfrentar os que me diminuem.

– Talvez, mãe Frederica... talvez precisemos mesmo tomar uma atitude mais drástica, algo com impacto imediato e consequências duradouras. Até porque eu preciso voltar para ficar com Lígia e convencer Juju a me aceitar novamente. Daqui a pouco minha filha não vai mais querer saber de mim.

– É bom se cuidar mesmo, filho.

– Poderíamos, quem sabe, criar um constrangimento público envolvendo alguém próximo do Jairo. Um ministro, um dos filhos, talvez... O ideal seria conseguirmos um *impeachment* bem fundamentado, mas isso foge ao nosso alcance. E se obtivermos uma confissão, por exemplo... não sei... que confirme a suspeita de envolvimento deles com o assassinato da vereadora Marielle?

– De jeito nenhum, filho. Não há qualquer prova disso. – Mãe Frederica ponderou. – Seria um tiro pela culatra!

– Claro, claro, ninguém achou provas. Mas talvez possamos, quem sabe... infiltrar alguém no governo para obter informações sigilosas.

– Lígia poderia nos ajudar, o que é que você acha? Estava ontem na tevê, do lado do ministro da Saúde, numa cerimônia, e depois apareceu do lado de um homão que tinha cara de gente graúda.

– Lígia? Ela estava do lado ou com um homem?

– Esqueça, filho.

– A verdade é que Lígia já foi infiltrada, minha mãe, mas pelo outro lado.

Mãe Frederica já suspeitava.

– Pois é, do jeito que as coisas tão indo, vai acabar sobrando pra nós.

– É disso que estou com medo. Me expus de maneira irresponsável aqui onde estou e agora os militares sabem dos meus planos. Sonhei que estava preso por uma roda de torturadores, com Geisel, Ustra e Newton Cruz numa sala do Doi-Codi, e que eles me enfiavam Bombril.

– A coisa está muito grave, filho! Ustra, mesmo estando morto, e Newton Cruz foram promovidos pelo Jairo.

– Promovidos a quê?

– Viraram marechais do Exército, considerados heróis nacionais! É tanto descalabro que eu poderia passar a semana inteira só te contando as merdas deste governo.

– Definitivamente: temos que agir, minha mãe!

– Sim. Mas antes de qualquer coisa a gente precisa consultar os orixás.

– Era exatamente o que eu ia lhe dizer. Jogue os búzios, mãe Frederica! Diga-me o que podemos fazer para evitar que nosso país vire uma republiqueta retrógrada que homenageia torturadores!

Mãe Frederica demorou um pouco, e Almeida ficou girando na cadeira de couro no camarim do Carnegie Hall enquanto ouvia uns barulhos conhecidos: búzios rolando sobre a mesa do outro lado da linha.

Um tempo depois, mãe Frederica voltou ao celular.

– Os búzios não estão me dizendo absolutamente nada! É como se estivessem neutralizados por alguma força muito negativa.

– Entendo. Pode lhes perguntar rapidamente sobre Lígia, meu casamento com ela?

– Não é uma boa hora, não é mesmo recomendável. Vamos manter o foco, filho!

– Verdade, verdade, minha mãe. Será que, se você tocar os tambores, os espíritos podem nos dar alguma orientação?

– Posso chamar meus alabês, sim, filho. Não sei se vou conseguir receber nessa situação incomum, mas claro que posso tentar. O telefone vai ficar alto aqui e, se der certo, você faz as perguntas.

– Está bem, está bem!

Passado algum tempo, Almeida começou a ouvir pessoas cantando e tocando atabaques. Mãe Frederica, ou, melhor dizendo, a entidade que se manifestou nela, começou a gritar:

– Me dá minha roupa!

A entidade manifestada em mãe Frederica acendeu um charuto, virou um copo de cerveja quente num só gole e voltou a gritar:

– *Cadê o meu vestido, cacete? O bicho tá pegando aí, hein, seu Almeida? Você quer minha ajuda pra desamarrar um nó desse tamanho? Então, pague! Cadê o meu de comer? Cadê o meu de beber? Tem que pagar! Desenrole aí alguma coisa pra mim!*

Almeida não sabia o que responder, ainda mais com aquele ruído todo no celular, mas se encheu de esperança. Uma entidade feminina viera do plano espiritual para ajudá-lo. Deixou o telefone no viva voz em cima da mesa do camarim e foi explicando o motivo daquela consulta:

– Bem, muito prazer, dona... Bem, foi mãe Frederica que a chamou. – Almeida seguia desorientado, improvisando: – Estão lhe dando alguma comida aí? Tem bebida?

No terreiro, os ajudantes de mãe Frederica ofereciam rosas vermelhas e mais cerveja quente para a entidade, que virou tudo de uma vez. E lhe deram também um prato com farofa de dendê, bife e cebola. Enquanto isso, Almeida ia explicando suas intenções e dizendo quem eram os principais implicados naquela história toda. Depois de alguma reflexão, a entidade, enfim saciada, apresentou seu plano.

– *Tu só vai ter paz quando mãe Frederica lançar o machado de Xangô pra cima do Jairo.*

– UM MACHADO? – Almeida gritou, dando um salto da cadeira.

O redator de discursos pensou que a entidade estivesse mandando matarem o presidente da República. Uma ideia absurda. E ainda pior porque ele se sentia péssimo por suas tentativas frustradas.

– Não vamos assassinar ninguém! – ele disse. – Aliás, minha mãe, você já carrega dois defuntos nas costas.

Almeida sabia que mãe Frederica não o ouvia, pois era mãe de santo à moda antiga e ficava inconsciente durante as consultas. Só quem ouvia Almeida era a entidade, que apresentou seu plano:

– *Mistura a magia do Sete Caveiras com perfume e joga nele pra proteger o Brasil. Tem que dizer palavra mágica!*

– Mas o quê? Exorcismo, esconjuro... que palavra eu digo? – Almeida raciocinava sozinho, e usava o linguajar do espírito. – Tu quer que a gente esconjure o Jairo pedindo proteção ou quer que a gente use um machado nele? Não faz sentido, mulé!

– *Diz palavra mágica do gostoso. A falange do Sete Caveiras abre caminho, Xangô faz justiça e tudo realiza!*

Almeida temeu que aquele pudesse ser um espírito pirracento querendo criar um apocalipse em Brasília. Mas continuou ouvindo. E descobriu que havia planos também para ele.

– *Vocês têm que trabalhar na frente e atrás. Atrás, Jango tem que dizer palavra mágica.*

– Palavra mágica tipo abracadabra, essas coisas? Nunca vi isso no candomblé!

– *Palavra mágica do escritor gostosinho, Almeidinha. Mas, pra mudar a cabeça do Jango e proteger o Brasil, tem que derrubar o homi do tóchico, porque só assim palavra mágica funciona atrás.*

– Gostosinho? Atrás? Ah, sim, atrás... no passado. Entendi! Mas que coisa é essa de tóxico? – Almeida olhava para o relógio temendo que o show no Carnegie Hall já estivesse terminando. – Enfim, isso de drogas não é uma questão relevante no tempo em que estou. A questão aqui é evitar um golpe que vai mutilar a nossa democracia!

A entidade insistiu no plano.

– *Tu precisa tirar o homi do tóchico da frente.*

– Homem com nome de tóxico só pode ser... Ah, não! BRIZOLA??? – A pergunta espantada de Almeida ricocheteou pelas paredes espelhadas do camarim.

Ele se lembrou que, nos anos 1980, quando Brizola foi governador do Rio, era frequentemente acusado de ter feito um pacto com traficantes e, com isso, permitido uma tomada irreversível das favelas pelos criminosos. Daí *os cariocas* terem começado a chamar cocaína de... *brizola*.

Almeida ficou contrariado, pois, em sua adolescência, aprendera que Brizola era um político preocupado com saúde e educação. Matar o *homi do tóchico* era, para ele, como matar um tio!

– CHEGA, MÃE FREDERICA... VOLTE! Mande esse espírito pernicioso embora porque ele só pode estar de pirraça! Aliás, por que é que ele não manda eu me livrar logo do general Médici?

Sem se abalar, a entidade respondeu:

– *Num adianta tu se livrar de militar assassino e torturador. Morre um, aparece outro. Pra mudar as coisas atrás, o escritor tem que botar palavra mágica na boca do Jango. E eu num sou espírito pirracento, sou Pombagira, seu gostoso!*

Descrente de uma entidade que o chamava de "gostoso", achando aquele plano sem pé nem cabeça, Almeida concluiu que o esforço todo tinha sido em vão.

– VOLTE A SEU CORPO, MÃE FREDERICA! LI-VRE-SE DESSA PIRRACENTA O MAIS RAPIDAMEN-TE POSSÍVEL!

Os gritos de Almeida jamais teriam o poder de expulsar uma entidade. A Pombagira só foi embora porque quis.

– *Ó, meu gostosinho... Eu já comi, já bebi tudinho que eu queria e agora tô satisfeita... Vou-me embora porque já fiz o que tinha que fazer!*

Depois de uma gargalhada fortíssima, a entidade finalmente se foi. Passados alguns instantes de silêncio, mãe Frederica voltou ao celular, ainda zonza.

– E então, Almeidinha? Ela disse as coisas de que a gente precisa?

– Um absurdo. Um completo absurdo, impensável, desumano e antidemocrático. O espírito que encarnou em você propôs uma série de agressões! Queria que você atacasse o Jairo e que eu "tirasse o Brizola da frente", matasse ele, claro... e fizesse alguma mandinga com o Jango!

Mãe Frederica sentiu no peito um arrepio que só sentia em momentos de grande esperança.

– Se eu tivesse a oportunidade de me livrar do Jairo, Almeidinha, sei não. Me sinto muito diminuída, sabe? Como se eu fosse o cocô dos ratos do Pelourinho. E não é só preto e macumbeiro, não! Indígena, pessoa japonesa, os gordinhos... todos aqueles que o Jairo trata como se fossem gente inferior.

– É realmente um pesadelo, minha mãe. Abominável! Mas, assim mesmo, não posso admitir que você e eu adotemos práticas desumanas.

– Calma. Ainda preciso decifrar a mensagem... Não me lembro de nada, mas sempre gravo as sessões no celular. Agora vou interpretar tudo e volto a te procurar. Você tá onde mesmo?

– Estou em Nova York, acredita? Mas amanhã estarei de volta à missão. Enfim, sempre no mesmo celular.

Almeida agradeceu imensamente o esforço de mãe Frederica e desligou. Saiu apressado do camarim e, ao chegar de volta ao auditório do Carnegie Hall, ouviu aplausos efusivos. Viu João Gilberto descer do palco e a cortina vermelha se fechar. "A bossa nova é foda!", pensou, já imaginando que a frase poderia ser um refrão incrível na voz de Caetano. Iria propor.

22

Sem conseguir dormir no hotel em Nova York, Almeida virava de um lado para o outro na cama. Sonhou que Lígia estava jantando num restaurante chique com um homem de terno alinhado e cabelos grisalhos, e entrando com ele num Opala preto. Tentava esquecer... No meio daquela insônia, questionava seus atos, relembrava tudo o que fizera desde o primeiro telefonema de Tom, quando desembarcou maravilhado em 1958. Tinha a impressão de que por diversas vezes havia chegado perto, muito perto, e que ainda não era hora de desistir. Lígia não conseguiria o divórcio tão rapidamente e, ao voltar, ele faria o possível para convencê-la a retomar a vida como era antes.

Urgente naquele momento era encontrar um jeito de interromper o fluxo dos acontecimentos e alterar o *continuum* espaço-tempo para modificar o futuro. Por enquanto, a sugestão de Tom, de que ele seria o "candidato ideal", ficaria guardada em seu coração como o bonito elogio de um grande amigo, uma pessoa iluminada que, mesmo quando Almeida porventura voltasse ao futuro, jamais iria esquecer.

No dia seguinte, uma feijoada digna da Vicentina o fez se esquecer um pouco de todos aqueles pensamentos que lhe tiravam o sono. Era a comemoração pelo sucesso do show da bossa nova do Carnegie Hall.

E estavam todos lá!

Enquanto conversava com Sérgio Mendes, Almeida se empanturrava de paio, carne seca, toucinho e couve mineira. Bebeu caipirinha com linguiça ao lado de Menesca e Normando. Riu muito das trapalhadas do show – *no hear, no hear* –, mas sempre enaltecendo o sucesso e a relevância daquela noite.

– Estará nos livros, e será lembrada eternamente como um dos marcos fundamentais da bossa nova – ele disse, arrancando sorrisos de todos.

Tudo ia bem até o momento em que, conversando com umas dançarinas que não sabia de onde haviam surgido, Almeida começou a sentir a barriga estufar como um balão de gás. Pediu licença às moças, encontrou uma poltrona e ficou ali sentado, acabrunhado, o duodeno em ebulição.

Justamente nessa hora, Tom lhe apareceu.

– Almeidinha querido, finalmente te achei!

Estava eufórico. Acabava de fechar um contrato incrível para gravar "Garota de Ipanema" em inglês.

– Puta merda, fechei por 1.500 dólares! É mais uma parceria nossa que conquista o mundo.

Almeida ficou contente, mas não conseguiu comemorar. Sentia a barriga como se fosse um tatu-bola depois de beber vinte coca-colas.

– Incrível isso, Tom! Vamos comemorar amanhã em Ipanema, então? – Almeida se esforçava para ser gentil. – Será que já não está na hora de irmos ao aeroporto?

Tom o olhou um pouco sem jeito. Tinha algo importante a dizer.

– Almeidinha, querido. Andei pensando, pensei muito mesmo, fui até o fundo de minha alma e tomei uma decisão: vou ficar um tempo aqui nos Estados Unidos.

– Mas assim, de repente?

– Pois é, Almeidinha. É aquela coisa... eu nunca tinha pensado em ficar em Nova York porque nunca tinha vindo pra cá. Mas adorei isso aqui! A verdade é que, se eu vivesse nos tempos do Império Romano...

– Eu sei, eu sei... O John Lennon vai dizer a mesma coisa... você gostaria de viver em Roma, mas hoje Nova York é a capital mundial de tudo, inclusive da arte, então... você quer viver em Nova York.

– Quem disse isso?

– O John... dos Beatles, ele ainda vai dizer. Os caras vão lançar o primeiro álbum no ano que vem. É música de três acordes, sem dissonância nem síncope alguma, mas acho que você vai gostar.

– Entendo, Almeida... entendo. Mas, enfim, é exatamente isso o que eu estou sentindo: uma síncope no peito e uma dissonância na alma! Amo nosso Brasil, mas preciso estar na capital do mundo se quiser me tornar relevante internacionalmente. E quero te convidar pra ficar um tempo comigo. Tenho certeza de que te consigo um contratinho como letrista. Que tal?

– Lamento muito, mas acho que não, Tom. Infelizmente não posso. Já me desviei da minha missão vindo até aqui, já perdi momentos preciosos para viver outros, admito, igualmente preciosos, mas ainda tenho uma última cartada nos Anos Dourados.

Tom sorriu. Por um lado, porque não acreditava que aqueles anos fossem de fato dourados, por outro, porque sentia ternura perante o jeito honestíssimo e quase doce de Almeida.

– Você é um grande brasileiro, Almeidinha. Se todos fossem iguais a você, nosso país seria uma Noruega!

Dessa vez, Almeida não se envaideceu. Estava preocupado com todo o trabalho que ainda teria pela frente, e a partir daquele momento, sem a ajuda de Tom.

– Escute, Tom, estou profundamente agradecido por tudo o que você fez e continua fazendo por mim, mas preciso mesmo ir. Preciso alterar o *continuum* da nossa história! Porque, na realidade, agora, na virada para 1963, estamos muito mais para Belíndia que Noruega. E se nada mudar, dentro de poucos anos, quando baixarem o AI-5, vamos ficar parecendo a Uganda de Idi Amin.

– Almeidinha, me desculpe. Do que é que você tá falando? Eu me perdi.

– Me desculpe, Tom. Já estou eu aqui me antecipando aos fatos outra vez. Não estou muito bem... a feijoada. – Almeida franziu o rosto e colocou a mão na barriga. – Me desculpe, realmente! O fato é que tenho urgência de voltar ao Brasil para seguir em minha missão, e acho que muito em breve irei novamente a Brasília.

– Almeidinha, amigo, deixa eu te dizer uma coisa?

– Claro, Tom.

– A merda já tá no ventilador. O Jango tá fazendo um governinho bosta, descambando pra extrema-esquerda, e essa é a deixa que faltava pros militares fazerem o que sonham desde Getúlio. Eu e você sabemos disso muito bem. Mais dia menos dia, eles vão tomar conta de Brasília, e a catástrofe que você conhece vai começar. É por isso, também, que preciso dar um tempo aqui em Nova York. Preciso me concentrar na minha música, Almeidinha. Esse é o meu dom.

– Você acha então que nada do que eu fizer vai mudar o rumo dos acontecimentos? – perguntou Almeida, a mão apoiada na barriga, como se pudesse conter a turbulência. – Acha que estamos mesmo na boca do esgoto e não há nada que nos traga de volta?

– Acho que você tem enorme importância, mas essa importância é muito mais pra mim e pra bossa nova. Tuas letras são marcantes, poéticas e fazem o maior sucesso, inclusive quando são traduzidas pro inglês. Agora, amigo, quanto à política, à economia e ao futuro do nosso povo... essa tua ideia linda e quixotesca de salvar o Brasil... bem, não sei mais o que te dizer... é uma missão muito difícil!

– Mas, Tom... porra – Almeida disse, talvez, o primeiro palavrão em muitos anos –, foi você que me trouxe pra cá!

– Eu? Bem, mais ou menos. Só te pedi ajuda com uma canção... lembra? E a gente ficou amigo, muito amigo.

– Então...

– Mas... calma! Vamos fazer uma coisa: se você quer mesmo voltar, vou pedir a uma amiga que te ajude, que te apoie do jeito que eu vinha fazendo. Com o Normando também foi assim, lembra? Ele veio do Nordeste e...

– Eu não vim do Nordeste. Não recentemente.

– Almeidinha, querido... aqui é Nova York... as pessoas acham um luxo o sujeito ser do Cariri ou do Sertão, que eles dizem *sertaum*, tão lindamente apresentado ao mundo pelo Guimarães. Aqui não tem essa coisa de nordestino ser pau de arara. Isso é coisa de mente subdesenvolvida, entende? – Tom lhe deu uma de suas piscadinhas. – Aliás, ser paraibano é um dos teus charmes, claro que é! Mas, enfim... Vou telefonar pra Nara e pedir que ela te dê todo o apoio possível enquanto você ajeita as coisas no Rio.

– Nara? Mas ela...

– Esqueça essa questão com a loira, Almeidinha. Se bobear, Nara nem vai se lembrar. Ela é um anjo e nunca vai se meter na tua relação com Lígia. Procure Nara e fale tudo a ela... tudo de que você precisar. – Tom passou a sussurrar no ouvido de Almeida: – Ela já sabe de tudo, amigo!

Usando a mão para encobrir a boca, Almeida falou também no ouvido de Tom:

– Mas realmente tudo?

– Sim, Nara sempre soube de tudo.

Almeida ficou rosado, os olhos arregalados.

– Ou você acha que existiria bossa nova sem Nara? Ora! Ela vai te ajudar até mais do que eu!

Confuso, sem saber afinal se Nara sabia tudo sobre ele ou sobre a bossa nova, mas ao mesmo tempo agradecido pela imensa gentileza de Tom, Almeida pediu sua passagem de volta ao Brasil.

– Não precisa de passagem, Almeidinha! – Tom sorriu. – Tá vendo aquele elevador ali?

Almeida não tinha por que duvidar.

– O que é que eu faço?

– Quando não tiver ninguém por perto, entra no elevador e aperta o três.

– Por que o três?

Abrindo novamente seu sorriso inconfundível, Almeida lembrou-se de quando desceu ao S, que *não* era de subdesenvolvido, para ir ao apartamento de Tom. E, com uma lágrima já saudosa escorrendo sobre a bochecha, entrou na brincadeira.

– É três porque vamos ser tricampeões no futebol, Tom?

– Não... é de Terceiro Mundo mesmo! – Tom Jobim deu uma doce risada. – Vai matar saudade da nossa Ipanema, vai!

Quando Almeida saiu do elevador, no hall de seu apartamento no terceiro andar do hotel Arpoador, o telefone começou a tocar. E ele notou que, assim como nas vezes que Tom lhe telefonara, aquela era uma chamada não identificada.

– Nara? É mesmo você?

Ao ouvir a voz inconfundível de Nara Leão, ao mesmo tempo lisonjeado e envergonhado, ainda sentindo orelhas de porco revirando-se em seu duodeno, Almeida despencou duro na cama.

23

Mais de doze horas depois, ao despertar daquele baque repentino, Almeida decidiu ir até o restaurante Antônio's para matar sua fome de leão. Sabia que dificilmente haveria alguém da turma da bossa lá, pois quase todos haviam ficado em Nova York, mas sentia uma necessidade quase urgente de passar um tempo naquele ambiente inspirador. Sem falar que chegara dos Estados Unidos sonhando com um camarãozinho frito e uma Brahma gelada.

Aquele 1963 avançara mesmo rápido demais. Um artigo de jornal lembrava que, num de seus poucos movimentos bem-sucedidos, o frágil presidente tinha conquistado o apoio de alguns militares influentes, promovendo oficiais ao cargo de general, e assim conseguira derrubar o parlamentarismo num plebiscito. Almeida conhecia bem essa história, mas ler nos jornais, no calor dos acontecimentos, era muito mais emocionante.

– Está aqui: "82% dos eleitores votaram pelo fim do parlamentarismo" para devolver os poderes presidenciais a Jango! – Almeida falava sozinho, tomando mais um gole de cerveja, vibrando com a manifestação das urnas. – Se Jango fica até o fim, Juscelino volta e a democracia vence, ou outro político se elege... mas assim mesmo a democracia vence!

Os jornais que Almeida tinha sobre a mesa revelavam, no entanto, um país perturbado. E os militares não estavam mentindo quando diziam que Jango planejava um golpe.

– Ora vejam... – Almeida falava como se conversasse com o jornal. – Pediu ao Congresso para decretar estado de sítio!

O redator de discursos preocupava-se com a falta de impacto de suas ações, pois os fatos, por enquanto, em nada divergiam do que estava nos livros.

Jango trouxera bons nomes para o governo. Dois de seus melhores ministros apresentaram um Plano Trienal para combater a inflação altíssima e retomar o crescimento econômico, querendo, em última instância, diminuir as diferenças de renda gritantes entre os brasileiros de diferentes classes e regiões.

– Isso sim!

Um artigo no *Jornal do Brasil* afirmava que Jango conseguira criar um programa econômico promissor, mas que, como sempre, "seu sucesso depende de reformas". E reformas, como sempre, dependem do Congresso.

– Se Jango conseguisse fazer as reformas, 1963 até que seria bom – Almeida refletiu em voz alta, coçando a barba esvoaçante.

Um agravante, um problema terrível, aliás, era que Jango sofria pressões fortíssimas da esquerda radical, que agia também com violentos ataques disparados em todas as direções. O jornal dizia que "o cunhado Brizola é a própria encarnação dessa esquerda diabólica que assusta o país".

– Brizola, acalme-se! Por minha Nossa Senhora... por Oxóssi. Não me faça pensar que o espírito pirracento tinha razão!

Se a entidade que baixou em mãe Frederica estava certa, ainda era cedo para saber, mas de fato a luz vermelha com relação ao futuro do Brasil de Jango se acendeu na Casa Branca justamente por causa de Brizola. Foi depois que o governador se apoderou da empresa telefônica do Rio Grande do Sul, deixando seus donos americanos a ver navios. Por falar em navios, Brizola já tinha até afundado alguns para defender o governo de Jango, cobrando, em troca, uma radicalização à esquerda.

Os Estados Unidos monitoravam o Brasil de perto. Nosso país era uma peça muito grande no dominó global, e não podia cair para o lado do comunismo. Nos bastidores, ofereciam todo tipo de ajuda aos conspiradores, e nutriam a ideia de que, em algum momento, poderia ser *necessário* derrubar o presidente.

– Se Jango se afastar de Brizola, tudo se acalma – Almeida concluiu, com um pastel acebolado entre os dentes.

Coincidência imensa, justamente naquele instante, às duas da tarde, o embaixador americano Lincoln Gordon ter ido com o marechal Castello Branco almoçar no Antônio's.

Almeida logo reconheceu aqueles rostos emblemáticos.

"Sorte terem se sentado tão perto!", Almeida apenas pensou, pois achou arriscado seguir falando sozinho. E, temendo que algum conhecido aparecesse e o tirasse do anonimato, resolveu colocar um chapéu preto sobre a cabeça. Usou o jornal para cobrir o rosto, e ficou ouvindo a conversa de Gordon e Castello.

24

— O ministro D. esteve em W. tentando convencer o presidente K. de que J. não vai cair nos braços dos radicais – o embaixador Gordon falava baixo e usava só as iniciais dos nomes de pessoas e lugares que mencionava, para não despertar a atenção de algum enxerido. – Oferecemos 400 M. de D. em ajuda, mas é só para amansá-lo, pois a esquerda radical nos apavora! Lamento dizer, marechal, mas precisamos manter J., como vocês dizem, "na rédea curta", me entende?

– Perfeitamente, embaixador.

– Repito aqui o que eu disse ao presidente K. – O embaixador passou a sussurrar, mas Almeida tinha ouvidos de tuberculoso: – Uma das tarefas mais importantes dos E.U.A. é fortalecer a espinha militar do B.R. Não somos contrários a uma ação militar, marechal, desde que consigam deixar claro ao mundo que existe um motivo justo para destroçar a democracia de vocês.

– E o que o presidente Ken... o presidente K. lhe respondeu?

– Ele disse: "do jeito que o B.R. vai, o Exército pode ser a solução". – Castello ficou envaidecido, e Gordon seguiu falando: – Enfim, marechal, nós vemos a ideia de derrubar J. como uma carta que deve estar sempre na mão.

– Iremos derrubá-lo, questão de tempo! Como podem nos apoiar?

– O general O.M. nos apresentou o plano: caso seja necessário, faremos uma ação militar maciça, envolvendo seis divisões, navios e apoio aéreo.

Castello Branco estava nas nuvens, visivelmente empolgado com a oferta dos Estados Unidos, e esfregou as mãos.

– De quantos homens estamos falando, embaixador?

Almeidinha baixou o jornal para que seu olho esquerdo pudesse ver o rosto do embaixador Gordon. Com que cara o enviado de J.F.K. daria aquela resposta infame?

– Sessenta mil, marechal. Mandaremos sessenta mil homens para ajudar a restituir a ordem por aqui.

Almeida levantou as sobrancelhas quase até juntá-las aos cabelos e arregalou os olhos a tal ponto que eles ameaçaram saltar para dentro do copo de cerveja. Coçou a barba esvoaçante com sofreguidão.

"Sessenta mil soldados, minha Nossa Senhora!", ele pensou, e começou a fazer contas na ponta dos dedos. "Três vezes mais do que os Estados Unidos têm agora no Vietnã! Seria a maior operação militar americana desde a Coreia!"

Depois de se atrapalhar e derrubar a cerveja em cima dos restos de camarão à sua frente, Almeida recuperou o fôlego e se acalmou um pouco.

– Isso não vai acontecer! – ele falou baixinho, como se sussurrasse sua indignação para o marechal. Então, voltou a fingir que lia o jornal, e seguiu murmurando: – Mas... e se eu estiver de fato interferindo no *continuum* espaço-tempo? Se eu estiver realmente mudando o rumo inexorável da história? Por Oxóssi! Neste caso... bem, neste caso... estamos prestes a ver uma invasão do Brasil... e, se não me matarem antes, serei o culpado!

Desde o encontro com Geisel, o medo da morte não lhe saía da cabeça. Era, sem dúvida, uma questão de dias até que um militar lhe metesse um balaço na têmpora.

Almeida pediu um caubói duplo e virou tudo de uma vez. Viu dois Gordons quando Gordon apertou a mão de Castello Branco e foi embora do restaurante. Os dois Castellos saíram em seguida. Almeida virou mais um caubói e criou coragem. Saiu do restaurante apressado, apenas um passo atrás do futuro ditador.

Chegou a grudar o nariz no cangote do marechal, levantou as mãos e abriu os dedos como se fosse apertar seu pescoço, mas, em seguida, um carro preto subiu na calçada e freou bem em cima das pernas de Almeida, derrubando-o.

Caído na sarjeta, joelhos doendo, ainda vendo estrelas, Almeida viu de canto de olho quando um homem de terno e óculos escuros abriu a porta de um Opala preto e atirou Castello no banco detrás. Com o marechal golpista são e salvo, o carro desceu pela Bartolomeu Mitre em direção ao Jardim Botânico.

Abatido, ainda sentado, Almeida se lembrou de que o carro de Castello Branco era igual ao que Juscelino estava quando morreu em 1976.

– E vocês ainda por cima... – Almeida disse, sem conseguir completar a frase, olhando desesperançoso para o Opala.

Em seguida se levantou, arrumou o paletó e desejou chegar logo ao hotel para organizar seu novo plano. Estava decidido.

– Chegou a hora: missão espírito pirracento!

E para cumprir a missão, ele precisava urgentemente estabelecer contato com mãe Frederica.

25

—*M*inha mãe, eu custei a acreditar, mas as entidades, de fato, não erram! Tentei neutralizar o conspirador Castello Branco, mas... bem, a caserna sabe de tudo. Eles me impediram. Quero retomar o plano...

– Deixa eu lhe contar uma coisa antes, filho.

– Que foi? Me desculpe a afobação, mãe Frederica. Conte!

– Tomei umas porradas.

– De novo?

– De novo droga nenhuma! Da outra vez eu sentei o cacete nos vagabundos. Mas agora foram muitos, não sei, mais de dez... e eu não tive como fazer nada. Tô com os dois olhos roxos e a barriga cheia de hematomas.

– Por Oxóssi!

– Eles ficavam gritando "bruxa", "nega suja", "socióloga", essas coisas que você já sabe, e ainda me chamaram de assassina, o que me assustou mais... E os feladaputa só pararam porque o Rubão apareceu e deu uns tiros pro alto.

– Minha Nossa Senhora Aparecida! Mãe Frederica, isso só corrobora o que eu já havia concluído: o plano do espírito pirracento que encarnou em você precisa ser executado!

– Espere, filho. Eu finalmente ouvi a gravação e interpretei a mensagem. Quem falou comigo foi a minha Pombagira.

– Mas Pombagira não é para trazer a mulher amada... resolver questões amorosas e sexuais?

– Normalmente sim. Mas a Pombagira é protetora e conselheira também.

– Uma Pombagira para resolver questões políticas do nosso país?

– Qual o problema? Ora! Escute, Almeidinha: a Pombagira Rainha que baixou em mim é símbolo da libertação feminina. Tem algo de simbólico nisso... até porque ela é dominadora e vai nos proteger de todas as energias ruins.

– Até que faz sentido, minha mãe. Precisamos dominar as feras.

– O plano dela, que eu demorei a entender, é que a gente use as *palavras* pra mudar as coisas.

– Mudar o Brasil com palavras? Sim, sim...

– Mais que palavras: quando a Pombagira falou em *palavras mágicas*, ela se referia aos *teus* discursos, o encantamento que provocam e o impacto real que podem ter.

Envaidecido, Almeida concordou.

– De fato, mãe Frederica, sempre acreditei no poder da palavra. Então me enganei, fui injusto! Não era um espírito pirracento, e até me envergonho das coisas que disse, pois sempre soube o quanto os espíritos têm me protegido.

– Já preparei a receita do feitiço. Quando eu borrifar o perfume da Pombagira sete vezes no Jairo... e delicadamente der a ele o teu discurso... ele vai ser muito cordial, vai tratar a preta com dignidade, vai se arrepender das ofensas todas que fez, vai ler teu discurso, Almeidinha, de maneira impecável, e mudar radicalmente o modo de interagir com o mundo. Se tudo der certo, Jairo se tornará um democrata exemplar, até entregar o mandato da maneira mais civilizada possível a seu sucessor.

– Mas isso é um sonho que eu nunca nem ousei sonhar!

– Pois é. E pra que a democracia seja totalmente protegida em nosso país, você tem que fazer o mesmo com o Jango. Preparar pra ele um discurso conciliador, que evite o Golpe de 64, e permita eleições normais em 65.

– Então você sabe onde eu estou?

– Ora, Almeidinha...

– Sim, sim, me desculpe, mãe Frederica. E como consigo essa receita para enfeitiçar João Goulart?

– Procure o babalorixá que comanda o terreiro Exu Sete Caveiras da Baixada, em Nova Iguaçu. Ele já sabe de tudo. Tá te esperando.

– Está bem.

– Ah, eu ia me esquecendo. Antes de enfeitiçar o presidente Jango, você precisa derrubar o Brizola.

– Matá-lo?

– Não tenho como afirmar, juro que não. A Pombagira não foi clara nesse aspecto. Ela só disse *derrubar* e *tirar da frente*.

Almeida ficou muito tenso, pois ainda guardava uma visão romântica de Brizola e, o principal, já tinha se prometido que não faria loucuras como aquela quase tentativa de enfiar uma adaga em Jânio Quadros. Achou melhor não falar nisso.

– E quando você pretende enfeitiçar o Jairo? – perguntou.

– Nisso ainda não pensei, filho. Bem, só se... Não! Esquece, esquece, é muito perigoso.

– *Só se* o que, mãe Frederica?

– É que na terça-feira vai ter uma votação na Câmara pela volta do voto impresso.

– Voto impresso? Não é possível. O Jairo vai acabar com a urna eletrônica?

– Tá tentando, filho. Diz que não funciona, que o bom é o papel porque assim ninguém engana o povo. E tem militar apoiando.

– Contar os votos manualmente, com a roubalheira que eram aquelas seções eleitorais? Mas quanto retrocesso! A urna eletrônica é um orgulho brasileiro!

– Pois é, filho... Mas eu ia dizer que nesse mesmo dia vai ter um desfile de tanques da Marinha, parece que vão à Esplanada dos Ministérios entregar um convite pro Jairo, mas na realidade eles querem é mostrar que os generais ainda mandam em Brasília. E eu pensei...

– Pensou certo, é isso! É exatamente isso. O desfile de tanques vai levar Jairo a ficar exposto na rua e você terá a chance de se aproximar dele com alguma facilidade. Faça isso, faça exatamente isso!

– Tá bem, filho. Se eu melhorar dessa porrada que me deram eu tento me organizar, e peço ajuda ao Rubão. Se tudo der certo, lhe telefono na terça.

26

A embalagem cilíndrica de vidro ainda trazia o selo da marca Universitário, com os dizeres "aromatizador de ambientes". Era de um lança-perfume argentino que Almeida experimentara uma única vez na adolescência, durante um carnaval passado num balneário riograndense. Parecera-lhe estranho que o pai de santo tivesse escolhido aquela embalagem para guardar o feitiço, mas não havia motivo para desconfiar do babalorixá que lhe fora indicado por mãe Frederica. E, pensando bem, o mecanismo de aspersão no topo do vidro seria *perfeito* para borrifar o feitiço em seus alvos!

Saindo de Nova Iguaçu, Almeida pediu ao taxista que passasse por Cordovil, na esperança de matar um pouco da saudade imensa que sentia de Lígia. Mas, como em 1964 o bairro onde ela nascera era só um grande matagal, o táxi logo seguiu para o aeroporto Santos Dumont.

No caminho, Almeida resolveu telefonar a ela, que atendeu, como de costume, impaciente.

– Fala, cachorro. Tá onde?

– Oi, meu bem. Acabo de passar por Cordovil e fiquei com muita saudade de você... e da Juju também.

– Sei.

– Lígia, por favor, me diga... vocês estão bem? Como estão as coisas?

– Olha, Almeida. Não tá muito bom, não. Aquele ministro cabeça de ovo do Supremo mandou prender o Silveira e todo mundo ficou puto. Quer dizer, o cabeça de ovo não... a máfia toda condenou o Silveira a oito anos de prisão. Deu dez votos a um contra o coitado, só porque ele defendeu o Brasil e o Jairo.

– Mas o que esse sujeito disse?

– Sujeito não, Almeida! O *deputado* Silveira nos lembrou da importância do Ato Institucional número 5...

– O ato da ditadura, em 69... o que cassou parlamentares, fechou o Congresso e institucionalizou a censura e a tortura no Brasil? Mas, Lígia...

– Calma, não foi só isso. O deputado já tinha sido preso injustamente porque manifestou o desagrado dele com as atitudes injustas e desonestas do ministro cabeça de ovo, aquele marginal.

– Marginal... o ministro Alexandre de Moraes? De maneira nenhuma.

– Ah, e ele também falou que o ministro Fachin é um vagabundo chorão... Ele é um chorão mesmo, não é? Moleque esquerdista... O nosso deputado disse o que todo mundo já sabe, que o ministro Gilmar vende *habeas corpus* pra bandido...

– Mas como foi isso, Lígia?

– Ah, querido, você jura que não viu o vídeo? O Silveira postou nas redes dele e todo mundo repostou, lógico. Ele mandou o povo invadir e fechar o Supremo, e mandou botar o cabeça de ovo no lixo!

– Mas... Lígia... isso é atentado contra a segurança, é incitação à violência contra o órgão máximo do Poder Judiciário!

– Vai tomar no meio do seu cu, Almeida! Foi pra isso que você me fez interromper meu trabalho aqui no ministério? Ou foi esse buraco de Cordovil que te deixou inspirado a falar merda? E eu vou te dizer uma coisa: o caso tá resolvido!

– Sério? Prenderam o deputado?

– Claro que não! O presidente perdoou ele. Um negócio de *insulto* presidencial.

– Indulto?

– É... isso. E ele nem tá mais usando a tornozeleira, tirou e pronto.

– Mas o presidente lhe perdoou assim... sem motivo?

– O Jairo deixou claro que quem manda aqui é ele e que esses pilantras vendidos não vão ficar tirando a nossa liberdade de expressão, entendeu? Chupa, cabeça de ovo!

– Hein? Mas o que é isso, Lígia?

– Chupa, Supremo!

Almeida ficou tão atordoado que achou melhor desligar, pois tinha missão importantíssima a cumprir.

– Meu bem, Lígia... acho que vou precisar desligar, meu táxi acaba de chegar ao aeroporto.

– Isso, vai lá! Aproveita e dá uma passada na Termas Aeroporto e fala pra tua putinha que você já tá quase divorciado. – Lígia disse, desligando na cara de Almeida.

Chegando a Brasília, decidido a não pensar mais na conversa áspera com Lígia, Almeida foi direto ao Palácio do Planalto, com o vidrinho guardado no bolso do paletó, pronto para executar seu derradeiro plano. Ou melhor, o plano da Pombagira.

Almeida tinha uma única chance de entrar: se o crachá que lhe fora concedido ainda nos tempos de Jânio continuasse abrindo as catracas presidenciais. Na entrada, respirou fundo, passou o crachá e... nada aconteceu. Ele estava muitíssimo supersticioso naquele sábado, e resolveu sair do edifício para tentar novamente.

Por via das dúvidas, numa oferenda improvisada ao Exu Sete Caveiras, colocou uma maçã vermelha com açúcar na porta do Palácio. Entrou com o pé direito, e, dessa vez, benzeu-se. Pediu a Oxóssi, ao Sete Caveiras e a Nossa Senhora Aparecida para "destrancarem todos os caminhos possíveis". Lá dentro, borrifou o feitiço na catraca e passou a mão, como se quisesse benzê-la. Mas, antes que Almeida tentasse mais uma vez com o crachá, uma voz gentil veio acolhê-lo.

– Espere, moço, essa catraca tá horrível mesmo. – A mulher usou o crachá que trazia preso à cintura, e Almeida ouviu um estalo na catraca. – Pode entrar, a reunião de emergência é ali naquela sala.

– Ah, sim – ele reagiu, pasmo. – Quanta gentileza, senhora. O presidente está mesmo me esperando.

A mulher saiu para o outro lado, e ninguém percebeu quando Almeida entrou na sala. Estava uma confusão danada porque Dantas, um ministro sem pasta, mas ainda influente, fazia uma crítica muito dura ao presidente.

– Penso que foi péssima ideia! – disse o ministro. – Fazer um discurso radicalizando à esquerda numa sexta-feira 13? E agora vocês ainda querem passar por cima do Congresso!

– Ora, quanto exagero. Aquele comício foi um sucesso! – Jango reagiu, irritado.

Aproveitando-se da entrada atrasada de seu ex-ministro da Guerra, o presidente mudou de assunto.

– Que honra vê-lo, Kruel. Pois, antes de Dantas interferir, eu ia dizendo que as forças ocultas que levaram Getúlio a tirar a própria vida ainda estão a nos rondar, e me sinto confortado de ver que temos nosso grande amigo general Kruel no comando do Segundo Exército, decidido a proteger este governo. Não é mesmo, Kruel?

O general abraçou Jango. E Almeida ficou com a impressão de que lhe deu um beijo no rosto. Eram compadres, afinal.

– Não o traio nem se me encherem de dólares, presidente!

Ninguém deu muita atenção a Kruel. Ninguém exceto Almeida, que estava sentado num sofá, anotando num bloquinho tudo o que via e ouvia, ciente de que dentro de poucos dias Kruel seria decisivo para o Golpe, tornando-se o Judas de Jango, mais tarde acusado de receber malas de dólares.

Desde que chegara, Almeida estava procurando Brizola, mas não o encontrava. Até que, muito surpreso, percebeu que o *homi do tóchico* estava bem à sua frente.

"Assim vai ser fácil demais!", pensou, e resolveu agir logo: tirou do paletó o vidrinho de Universitário, fingiu que ia se perfumar e praticamente grudou o bico do spray no pescoço de Brizola. Querendo ter certeza de que funcionaria, em vez das três borrifadas previstas na receita, deu doze.

Brizola ainda olhou para trás, encarou Almeida nos olhos e, já grogue, lhe perguntou:

– O que foi isso, guri?

No mesmo instante, bateu com a cabeça na mesa.

Houve um burburinho, mas logo o presidente Jango pediu silêncio, dizendo que Brizola havia comentado sobre estar mesmo muito cansado por causa de viagens e de toda a pressão que recaía sobre ele.

Almeida checou o pulso de Brizola e, sem se importar com o fato de que chamava a atenção para si, constatou:

– Seu cunhado está bem, presidente. Posso até ouvir o ronco do governador.

– Ele é deputado! – exclamou um assessor que estava por perto.

– Ah, sim, de fato. Me perdoe – Almeida se corrigiu, abrindo seu sorriso longitudinal de lagarto eufórico.

– Deixem que durma! – Jango ordenou.

Pelo que Almeida entendera da explicação de mãe Frederica, o feitiço faria Brizola amenizar os radicalismos de seu discurso e, assim, aliviaria drasticamente a pressão que vinha fazendo sobre Jango. Mas não era isso, não!

"Pra mudar a cabeça de Jango, tem que derrubar o homi do tóchico!"

Se o plano da Pombagira era simplesmente tirar Brizola da jogada, estava dando certo! Com aquelas doze borrifadas, Almeida acabava de *derrubar* Brizola e, literalmente, tirá-lo de sua frente.

Sem o maior líder da esquerda radical para fiscalizar suas ações, foi quase num passe de mágica que Jango baixou o tom.

– Como sabem, determinei a expropriação das refinarias de petróleo, e iniciei um processo ousado de reforma agrária, mas reflito neste instante tão propício e penso que poderemos negociar isso com nossos opositores para evitar desalinhamentos excessivos.

– Exatamente – concordou o moderado Celso Furtado. – Se negociarmos, evitaremos que conspiradores fardados ameacem sua permanência, senhor presidente. O general Kruel sabe do que estou falando.

Depois de mais algumas deliberações moderadas de Jango, a reunião terminou num clima ameno como há muito não se via naquele Palácio. E todos saíram aliviados.

Ou quase todos...

Brizola seguia com a cabeça apoiada na mesa. Seu assessor achou por bem aproveitar a pausa forçada e deitou-se para dormir no sofá. O embate com a "direita entreguista" andava mesmo extenuante!

O presidente não reparou em mais nada. Saiu da sala calmamente, e pediu aos assessores que fossem cuidar dos próprios afazeres. Iria meditar um pouco em sua sala.

– Almeidinha, vem comigo!

– Eu?

– Sim, sim, já estava mesmo te esperando. Me acompanha. Quero saber por que Juscelino tem tanta estima por ti.

– Ah, sim, presidente. Com imenso prazer!

Em sua sala, Jango sentou-se e despejou um pouco da água de uma garrafa térmica na cuia de chimarrão que já estava preparada à sua frente. Colocou suas botas de estancieiro sobre a mesa e, gaúcho cortês que era, ofereceu o chimarrão primeiro ao visitante.

– Quer mate?

Como acontecia com frequência nos momentos em que escrevia discursos, Almeida ficou com uma palavra ecoando em sua cabeça: *mate... mate*. Ajeitou os óculos e respondeu:

– Sim, sim... adoro mate. Obrigado, presidente.

Assim que o visitante começou a sugar a bomba de prata enfiada na cuia, Jango disparou a falar:

– Pois, Almeidinha, sejamos diretos. Meu governo está por um fio. Chego a concordar com Brizola que a solução para eu poder trabalhar em paz é a destituição desta legislatura imprestável e corrompida para colocarmos em seu lugar uma Assembleia Constituinte de caráter absolutamente popular. O que pensas?

Sem tirar a bomba de chimarrão da boca, ainda olhando para a erva verde, Almeida murmurou:

– Antidemocrático.

Jango seguiu falando:

– Os *gorilas*, como Brizola diz, estão conspirando. Todos sabemos disso.

Ainda sugando o mate, Almeida murmurou outra vez:

– Tudo Brizola.

– Lacerda não vai hesitar em apoiá-los, caso queiram...

Jango fez uma pausa ao perceber que Almeida se engasgara com o mate quente. Mas, ao constatar que não era grave, continuou:

– Lacerda os apoiará caso queiram derrubar meu governo. Já andei mais pelo centro, é verdade. Estive com Kennedy em Washington, fiz o diabo para mostrar que não sou comunista e que pretendo arrumar o país com reformas, mas não adianta... Os problemas do Brasil vêm dessa aliança entre meus inimigos, as forças ocultas que tu bem sabes que existem. E essa pecha de comuna e subversivo não sai do meu cangote, tu entendes?

– Brizola... – Almeida murmurou, terminando um novo gole de chimarrão.

– Estou te ouvindo. O que tem Brizola? Está cansadíssimo, só isso! Apagado naquela sala de reuniões.

– Sim, sim... Mas Brizola não sai do seu cangote, nem da sua cabeça. É seu maior risco hoje, presidente. O senhor tem que se afastar do abraço da esquerda radical. Não é aceitável expropriar empresas, isso é coisa de governo autoritário. Expropriar terras é coisa de bolchevique. Dar golpe no Congresso é o maior descalabro!

– Pois é assim que vamos transformar este país arcaico numa nação moderad...

– Não é aceitável, presidente! Golpe da esquerda ou da direita, dos militares ou do próprio presidente, é golpe do mesmo jeito. Esses radicalismos, como o senhor sabe, inquietam profundamente o Brasil moderado. O cidadão centrado quer um Estado em que as instituições sejam estáveis... Já me basta Jairo.

– Jânio? Esse aí já era!

– Sim, o que eu digo é que com toda a razão sua radicalização desagrada a direita, desagrada o centro e até a bosta do *Centrão*, que é pior que um sapo murcho com olho de baiacu morto!

– Hein? Prossiga, prossiga!

– Isso tudo desagrada também os militares brasileiros, mesmo os que não são golpistas, pois há muitos militares democratas e conscientes. No entanto, os que estão por cima da carne seca no momento são os que lambem botas nos Estados Unidos. E como o senhor sabe, os americanos estão em Guerra Fria contra a União Soviética, temem um domínio comunista, ou meramente um domínio soviético... O senhor viu o perigo que foi, no ano passado, a crise dos mísseis em Cuba, não viu? Estivemos a um passo de uma guerra nuclear!

– Kennedy me pediu apoio, mas não me meti.

– Exato. Washington sabe que o senhor não é um aliado confiável e não vai permitir que um governo radicalizado à esquerda fique no comando em Brasília. Enfim, sei que falo demais, pois o senhor já sabe de tudo isso. Mas, bem... mesmo que pose de reformista, presidente Jango, o senhor acaba ficando com pinta de comunista mesmo.

– Pinta de comunista? Só me faltava essa. Me dá o mate!

Almeida entregou a cuia ao presidente, e a palavra entalou em sua mente outra vez, agora tomando outra forma: *o mate... o mate*.

"Não!", Almeida pensou. Não era hora de fazer jogos de palavra. Isso cabia bem nos discursos. Por que diabos aquilo não lhe saía da cabeça?

Percebendo o mal-estar que causara com a tentativa de mostrar ao presidente o quanto o governo estava sendo desastroso, ele retomou sua habitual gentileza.

– Desculpe-me o mau jeito, presidente. Sinto-me mal por tudo o que atirei sobre o senhor. Na verdade, quero lhe dizer que, para sua própria sobrevivência, o senhor precisa amenizar o tom de seu discurso, tornando-se conciliatório e agregador. Pois a polarização é uma praga que se tornará ainda pior quando as redes sociais tomarem conta...

– De que redes tu falas? Alguma dessas conspirações que andam por aí?

– Não, nada disso. Perdoe-me, presidente. É que estou sempre me antecipando aos fatos. – Era hora de entrar no tema principal da conversa. – O presidente Juscelino deve ter lhe falado de mim, pois apareci no governo dele num momento crucial. Só foi uma lástima aquele vento...

– Vento?

– Exato. Um vento levou o discurso que deixei no bolso do terno que ele usava, e Juscelino acabou improvisando outra coisa, uma tragédia. O marechal Lott perdeu a eleição por causa daquele vento. E deu na bosta que deu.

– A que bosta tu te referes?

Almeida percebeu a gafe, pois para ele a bosta era justamente o governo de Jango, que entregava a própria cabeça numa bandeja para os conspiradores. Tentou corrigir.

– Refiro-me à bosta do governo de Jânio, o sucessor de JK, com renúncia e tudo o que se seguiu. Claro que, por outro lado, foi muito bom, pois tínhamos o senhor como vice.

– Ah, sim, de fato. Então, Almeidinha, me fala do teu propósito, de como tu podes prestar um serviço a mim e a este país.

– Serei bastante sincero, presidente. Vim de muito longe, de mais longe que o senhor possa imaginar...

– Tu és de Taperoá mesmo? Baita longe, de fato.

– Não falo de lugares... refiro-me a algo mais intangível, temporal talvez... Vim de longe para tentar salvar a democracia brasileira. Bem, não vim por isso, vim por causa do Tom, que...

– O que o nosso maestro tem a ver com isso? Ele está indo muito bem em Nova York.

– De fato, de fato Tom não tem nada com isso. Só me convidou para fazer algumas letras com ele em seu apartamento em Ipanema. Mas, enfim, a razão para eu estar aqui é a mesma que me uniu a ele: há algo em minhas palavras que as faz parecerem mágicas.

Era um excesso de confiança jamais visto, mas completamente apropriado, no momento em que planejava lançar um feitiço sobre o presidente.

– *Palavras mágicas*, ora... quanta bobagem! Anda logo com isso, pois, se eu não fizer algo muitíssimo perspicaz para acalmar os conspiradores, nem o Kruel me segura.

– O Kruel não vai segurá-lo, presidente.

– Quanto pessimismo! Bem que o Juscelino avisou...

– Perdoe-me, presidente. Eu tenho essa mania de me antecipar aos fatos, mas deixei de ser pessimista. Ando, aliás, muito esperançoso quanto ao nosso futuro.

– Que bom ouvir isso!

– Sim, sim... Mas quero lhe propor que me permita escrever o discurso que o senhor fará no Automóvel Club. Do jeito que as coisas se desenham, será a gota d'água do Golpe.

– Que golpe? *Não vai* haver golpe!

– Na realidade, vai... presidente.

– Porra, te decide. Tu estás esperançoso ou pessimista?

– Bem, posso ficar muito esperançoso... se o senhor mudar o texto de seu discurso.

– Imagino que pelo *teu*, certamente.

– Exato, presidente. As palavras têm um poder inacreditável! Se eu escrever o discurso que o senhor fará no Automóvel Club, interromperemos o fluxo inexorável dos acontecimentos, e mudaremos o *continuum* espaço-tempo, que é determinante para nosso futuro.

– Quanta baboseira! Anda, toma mais um pouco de mate pra ver se tu voltas à realidade.

– Ah, sim... *o mate*, obrigado.

Almeida finalmente percebeu o jogo de palavras que havia naquela repetição: *"o mate... o mate... o... mate-o!"*. Matar Jango?

Não! Isso não estava nos planos da Pombagira.

Sugando mais uma vez a bomba de prata, Almeida sentiu que o momento lhe estava favorável, e resolveu que, antes de qualquer feitiço, tentaria convencer o presidente... pela última vez.

– Presidente, para que eu não... o mate? – Jango estava sinalizando que queria a cuia e isso distraiu Almeida. – Sim... aqui está o mate, tome. Então, para que eu não o... digo... para que eu possa ajudá-lo, o senhor precisa se convencer de que o Brasil vive um momento crucial de sua história, e que qualquer erro seu será fatal. Sem falar que, como já sinalizei, tenho indícios concretos, ouvidos com estes meus ouvidos, de que o novo presidente americano não terá problema em sacá-lo.

– Mas eu estive com Kennedy!

– Kennedy já foi assassinado, esqueça-o. Lyndon Johnson é quem está com os porta-aviões virados para o sul e, ao menor vacilo seu, irá armar o grupo de Castello Branco até os dentes. O que acontece depois disso? Kruel vira a casaca e o senhor vai tomar seu mate no Uruguai.

Jango tirou as botas da mesa e ficou de pé, encarando Almeida com olhar raivoso.

– Retira o que disseste!

Almeida se orientava pelo princípio diplomático da reciprocidade, e também ficou de pé.

– Retiro. Retiro isso... do meu... – Almeida teve dificuldade para tirar o vidro do bolso do paletó, e enfim conseguiu. – Retiro esse feitiço de fabricação argentino-brasileira para lançar sobre o senhor presidente a receita que mãe Frederica me deu!

Almeida disparou sete borrifadas no rosto de Jango e, no mesmo instante, o presidente se sentou. Primeiro, com o olhar perdido, voltando-se para a vidraça que servia como janela no Palácio do Planalto. Depois, sereno, voltando-se para Almeida.

– O que devo dizer, Almeidinha?

– Que bom que o senhor caiu em si... Aqui está, presidente!

Aliviado, sentando-se também, Almeida entregou a Jango umas folhas de papel manuscrito.

– Escrevi neste pap... me desculpe o timbre do hotel Nacional... escrevi o discurso, muito breve aliás, que o senhor deverá fazer no Automóvel Club. Sem radicalizações, e sem Brizola em seu caminho, o senhor dirá aquilo que precisa ser dito para acalmar as forças terríveis que rondam a legalidade em nosso país e, com isso, salvará nossa democracia das garras de uma ditadura assassina e, depois, dos absurdos intolerantes e antidemocráticos de Jairo.

– Jânio? Almeida, você está dizendo que *Jânio* pode voltar?

– Não, estou falando de Jairo mesmo! E o digo justamente porque desejo que essa nossa conversa seja o acontecimento inesperado que irá interromper o *continuum* espaço-tempo, alterar o fluxo inexorável da história e salvar nossa democracia. Aqui está o discurso, presidente. Guarde bem o papel, por favor, pois pode ventar! E quando o senhor chegar ao Automóvel Club daqui a pouco...

– Mas não é hoje.

– O que não é hoje?

– O evento no Automóvel Club é só na semana que vem.

Almeida sentiu palpitações, taquicardia, pressão nas têmporas e, ainda, um terrível nó como se orelhas de porco estivessem girando em seu duodeno.

– O discurso é só na semana que vem – Jango insistiu. – Hoje é 23 de março, Almeidinha. Mas lerei o papelzinho que tu me deste, está guardado aqui no bolso. Farei o que me pedes, não te preocupes.

– Não! Não o fará... O senhor vai ignorar o texto e vai improvisar. Está nos livros! E vai continuar assim, porque esse feitiço não dura mais que 24 horas! O babalorixá lá em Nova Iguaçu foi muito claro quanto a isso. Que desespero, presidente!

Jango seguia calmo, como se estivesse anestesiado.

– De que feitiço tanto falas, afinal, Almeidinha?

– Esqueça! Esqueça que me viu, presidente! Em nome da Pombagira e do Exu Sete Caveiras e com a bênção de minha Nossa Senhora Aparecida, eu lhe ordeno que esqueça tudo o que aconteceu nesta sala.

– Como posso esquecer, Almeidinha? Seus conselhos são sábios! Vou ao Rio Grande descansar na Semana Santa e na volta pedirei que organizem um grande comício em São Paulo para pronunciar o discurso que tu me escreveste.

– Não, presidente. No meio da Páscoa vai acontecer uma rebelião de caráter comunista na Marinha, vão prender o traíra do cabo Anselmo, que nem cabo é... O senhor vai demitir o ministro Mota, essa ingerência nas Forças Armadas vai ser entendida como um estímulo à indisciplina, e enfurecerá o marechal Castello Branco. Será o estopim do Golpe!

– Acalme-se, Almeidinha. Essa tua mania de te antecipares aos fatos não é produtiva.

Almeida repetiu o trabalho, agora com pressa.

– Em nome da Pomba, do Sete e de Aparecida, ordeno-lhe que esqueça tudo!

– Espero que nosso grande redator de discursos possa estar de novo comigo na semana que vem – Jango disse, com um amplo sorriso no rosto. – Ainda queres o mate?

Percebendo que aquela mandinga improvisada não desfazia o efeito do feitiço, Almeida resolveu apelar: borrifou o que havia no vidro de lança-perfume outras treze vezes no rosto de João Goulart.

O presidente respirou fundo, parecendo gostar do cheirinho predominantemente de manjericão e alecrim. E logo caiu desmaiado como Brizola, derrubando o chimarrão em cima da mesa.

– Meu Deus, o mate! – Almeida disse em voz alta.

Ele escondeu o vidro de lança-perfume no paletó, e achou por bem passar a ponta da gravata nas coisas em que havia tocado. Porém, quando foi limpar a cuia de chimarrão, o jogo de palavras lhe voltou à cabeça, ainda mais convincente: *"mate... mate-o... mate-o com o mate!"*.

Então era isso? Deveria enterrar a bomba de prata do chimarrão na jugular de João Goulart?

"João Goulart... joãogular... jugular."

– Pare, Almeidinha! Pare de mexer com *palavras mágicas* e com feitiços! – falou consigo mesmo, atordoado, diante do corpo inerte do presidente. – Jango deverá cumprir seu papel na história: fará uma bosta de discurso no Automóvel Club, não irá se dissociar dos ataques à disciplina militar... e eu cumprirei meu papel!

Suando muito, Almeida saiu da sala do presidente e foi caminhando vagaroso, cabeça abaixada. Assim que chegou ao corredor principal do Palácio, acelerou o passo.

"Corra, Almeidinha, corre!", ele pensou e correu. Correu muito em direção à rua. Passou correndo pelo Eixo Monumental, pelo Congresso Nacional e pela Esplanada dos Ministérios. Percorreu por inteiro o centro do poder em Brasília como se fizesse um reconhecimento daquele lugar majestoso, seguiu pela L2 dividindo a pista com os carros, percorreu toda a Asa Sul até cair esbaforido no saguão do aeroporto.

Minutos depois, recuperado, atirou no lixo o vidro de Universitário já sem quase nada do feitiço, entrou num avião da Varig e foi completamente apagado até o hotel Arpoador, em Ipanema.

27

Olhando para a praia de Ipanema pela janela do hotel, Almeida sentia o frescor da brisa e o cheiro gostoso do chope que vinha dos bares misturado à maresia, mas isso era só um atenuante, uma forma de acalmá-lo num momento em que ele ainda se culpava por ter errado a data, desperdiçando o quase infalível plano da Pombagira. Mais ainda: não entendia como tudo até então havia se encaixado tão perfeitamente no tempo e no espaço e, de repente, ele chega ao Palácio do Planalto uma semana antes da data em que deveria enfeitiçar Jango.

— Só pode ser o cansaço — disse a si mesmo, finalmente se resignando. — Talvez esteja na hora de voltar.

Mas ainda restava uma última tacada, e o novo Almeidinha tinha deixado um pouco de lado seu velho pragmatismo, que alguns confundiam com pessimismo, para tornar-se muito mais esperançoso.

— Minha mãe de santo não vai falhar. Ela não falha!

De fato, na terça-feira, mãe Frederica chegou ao Eixo Monumental no banco do carona de uma picape branca que saíra de Salvador sob a impecável condução de Rubão Valentão, irmão do famoso João. Ela e seu assistente que a todos intimidava estacionaram nos arredores da Praça dos Três Poderes, vestiram as fardas que o irmão de Rubão desviara de uma base da Marinha e saíram fantasiados de fuzileiros navais, cada um com uma máscara de pano verde encobrindo o rosto e uma espingarda pendurada no ombro.

Conseguiram subir num caminhão de transporte de tropas e nele seguiram até a Esplanada dos Ministérios, onde se juntaram ao desfile de tanques blindados da Marinha. Não era lá um desfile de impressionar: 46 carros verdes e velhos fizeram um trajeto de quatro quilômetros, com militares acenando para os eufóricos seguidores de Jairo que acompanhavam aquela cerimônia como se fosse um comício, contidos por uma grade, vestindo camisas amarelas com dizeres a favor de uma nova ditadura militar no Brasil e gritando "A nossa bandeira jamais será vermelha", como se de fato houvesse uma ameaça comunista no país.

Tamanha era a desorganização que não foi difícil para mãe Frederica e Rubão conseguirem entrar no mesmo jipe do fuzileiro que ficaria frente a frente com o presidente para entregar-lhe o convite.

Foi a primeira vez que mãe Frederica viu com seus próprios olhos a rampa do Palácio do Planalto, onde os presidentes tomavam posse.

– Quanto cimento! – ela disse ao Rubão.

Quando desceram do jipe e começaram a subir a rampa, sempre um passo atrás do fuzileiro real, mãe Frederica foi falando baixo, mas confiante:

– Estou tendo uma premonição, Rubão.

– O que, minha mãe?

– Não vai demorar pra eu voltar a este lugar.

– *Oxe*, minha mãe! Vira essa boca pra lá!

No meio da rampa, o fuzileiro real deu uma meia parada e começou a fazer uns movimentos que pareciam parte de alguma celebração militar, e os dois logo trataram de imitá-lo.

Em seguida, ele voltou a caminhar.

– Anda, Rubão, anda. O rapaz já tá indo!

O fuzileiro terminou a subida levando o convite nas pontas dos dedos, como se fosse algo muito importante. Sem que ninguém notasse nada de estranho, dois fuzileiros marchando meio desengonçados o acompanharam.

Sem qualquer obstáculo, Rubão e mãe Frederica ficaram cara a cara com Jairo, só um passo atrás do fuzileiro real. Por ordens de um superior, os três ficaram em posição de sentido.

Mãe Frederica ferveu por dentro: "Como assim, bater continência para o Jairo?".

Lembrou-se de tudo o que sofrera desde que o ex-deputado assumira a presidência em 2019. Teve vontade de dizer o que sentia: "Seu ignorante, racista, misógino, homofóbico, autoritário, populista, criador de fake news". Mas se conteve. Era preciso ater-se ao plano da Pombagira!

Assim que o presidente se distraiu com um assessor, Rubão aproveitou para telefonar a Almeidinha e, sem dizer nada, deixou o celular no bolso, em viva voz.

– Alô, Rubão? Tudo pronto? – Almeida perguntou, vestindo apenas uma cueca, sentado na cama do hotel Arpoador. – É você, minha mãe?

Ninguém respondeu, mas os ruídos de tanques militares que soavam como motocicletas velhas davam a Almeida a certeza de que o plano estava em marcha. E ele logo entendeu que seria só um *cheerleader* naquele ato heroico.

– Lacra, minha mãe! Lacra, Rubão!

O fuzileiro real ergueu as mãos mecanicamente. Entregou a Jairo o convite para que assistisse aos exercícios da Marinha alguns dias depois. Era comum esse tipo de convite para presidentes. Incomum era os chefes militares terem decidido entregá-lo no mesmo dia em que, a poucos metros dali, no Congresso Nacional, parlamentares votariam a emenda que pretendia voltar a exigir o voto impresso nas eleições brasileiras.

A proposta de emenda constitucional era um desejo de Jairo, que poucos dias antes dissera que "sem eleições limpas e democráticas", não haveria eleições no Brasil. Ele seguia a linha mestra de um discurso parecido, que seria repetido naquela mesma semana por Steve Bannon, um dos responsáveis pela ascensão de

Trump nos Estados Unidos. Ao lado de Jairo Dois, Bannon diria que Jairo só não venceria se fosse roubado, "adivinhem por quem? Pelas máquinas", as urnas eletrônicas.

O desfile de tanques diante do Palácio do Planalto fora interpretado como uma ameaça de Jairo, apoiada por uma demonstração de força dos militares, destinada a intimidar os parlamentares.

O presidente esforçou-se para adotar uma postura de chefe de Estado enquanto recebia o convite para a "demonstração operativa". Mas logo se distraiu e foi fazer uma de suas famosas piadinhas com o ministro da Defesa.

— Essa fuzileira aí, Braga... Quantas arrobas cê acha que ela pesa? Rá-rá-rá!

Mãe Frederica, por sorte, não ouviu. Aproveitando-se daquela distração, tirou do bolso um vidrinho de perfume e borrifou o feitiço sete vezes sobre o presidente. Era uma mistura de cheiros parecida com a que Almeida usara em Jango, com notas de alecrim, manjericão e cachaça, dessa vez com um ingrediente a mais: algumas colheradas de leite condensado.

Jairo logo sentiu o efeito. Zonzo, sorriu de um jeito ainda mais desleixado que o habitual. Olhou nos olhos de mãe Frederica e de Rubão, e lhes disse o quanto estava honrado de ter uma mulher negra e um indígena no corpo de marinheiros do Brasil.

— Os negros, os índios e os brancos são igualmente responsáveis por construir nossa nação. Precisamos acabar com o racismo no Brasil, tá entendendo? Precisamos também dar espaço às bichas e sapatões em nossa sociedade.

Soou um tanto grosseiro, e isso fez Almeida, que acompanhava pelo celular, desconfiar da eficácia do feitiço.

– Jairo segue com seu linguajar chulo... Não é possível! Com Jango foi diferente. Ele ficou doce no primeiro minuto!

Mas, logo em seguida, ao ouvir o presidente dizer mais algumas mensagens cordiais, Almeida concluiu que o linguajar inapropriado era só um resquício, uma demonstração de como era difícil curar uma mente conturbada.

O presidente enfeitiçado se empolgou.

– Aproveito sua presença... Aliás, como é seu nome, senhorita?

Temendo ser identificada, mãe Frederica disse a primeira coisa que lhe veio à cabeça:

– Frederica... Frederica Marighella.

E sabe-se lá por que razão estaria pensando num conterrâneo, o maior líder da resistência armada à ditadura militar, assassinado no auge da repressão em 1969, "a mistura da ternura com a ira", como dissera Jorge Amado.

– Então, fuzileira Marighella, quanta honra recebê-la aqui na rampa do Planalto. Imagino que você seja herdeira do Carlos, aquele mulatinho que lutou pela liberdade e que foi apagado pelo governo Médici.

– Esse mesmo, presidente. Somos todos um pouco herdeiros de Carlos.

– Sabia que meu filho, eu também coloquei o nome dele de Carlos?

– Sim, sim, investigado por rachadinha, chefe de uma organização criadora de fake news, sei sim. Bem, presidente Jairo, aqui está o discurso que trouxemos pro senhor.

Mãe Frederica entregou ao presidente uns papéis meio amassados, escritos com caneta esferográfica numas folhas de caderno escolar e grampeados na ponta.

– Foi escrito por ninguém menos que Almeidinha – ela completou. – O melhor redator de discursos da nossa história republicana!

– Mas quanta honra, nega Marighella! Ter o privilégio de ler um discurso do grande Almeidinha. Ele tá aqui?

– Não, exatamente... O discurso foi, tipo, psicografado. Mas é como se estivesse.

Em seu quarto de hotel, Almeida gritava eufórico:

– Lacra, minha mãe!

E como mãe Frederica não tinha tempo a perder, pediu a Jairo que lesse o discurso ali mesmo:

– Presidente, quer aproveitar que todos os celulares e tevês o estão filmando pra dizer de uma vez o que precisa ser dito pra todo o Brasil?

– Mas, com toda certeza, fuzileira Marighella! Pode começar isso aí. Tá numa live?

– Tá numa live. No Face do Rubão e onde quer que essas câmeras atrás de mim estejam transmitindo.

Enfeitiçado até não poder mais, Jairo fez um discurso brilhante, mas sem mudar seu estilo de falar, como se estivesse lendo cada sílaba de uma vez.

– Senhoras e senhores, gostaria... de começar... pedindo perdão... à deputada Maria do Rosário, a quem ofendi gravemente na ocasião, tá ok? – Já na primeira frase, notava-se que Almeida tinha conseguido mimetizar o estilo inculto de Jairo. – Desculpo-me com as ONGs aí, tá certo? Por ter dito que são picaretas internacionais e só defendem o índio por interesse em suas terras. Isso daí, claro, não é verdade!

Os assessores do presidente, ainda que achando o discurso absolutamente estranho, não ousaram interrompê-lo.

– Peço perdão à Comissão da Verdade, que investigou a ditadura militar, e a todas as famílias atingidas pelo regime criminoso. Cheguei a dizer que não havia provas de que a ditadura matou, mas tem sim, são muitas, e eu as omiti. Quer dizer... fingi que não as conhecia apenas porque desejava criar uma nova narrativa para a história. Mas foi só coisa da minha cabeça, admito. Tá ok?

Do outro lado da linha, Almeida gritava, eufórico:

– Estou sonhando! Não é possível que tenhamos vencido! Jairo está se desculpando dos absurdos que disse ao longo desse governo abjeto! A sua bênção, João de Deus! Obrigado, Pombagira, obrigado, mãe Frederica, obrigado, Rubão!

Aos poucos, o povo foi lotando a área em frente ao Palácio do Planalto, e a multidão que chegava aplaudia o presidente. Repórteres, colunistas, blogueiros... todos aplaudindo. Miriam Leitão ouviu Jairo se desculpar também pelo imenso desrespeito com ela.

– Miriam, querida, o que eu e meu filho fizemos foi um ato covarde. Onde já se viu debochar de uma mulher grávida torturada? Abusamos de nossos cargos desejando humilhá-la e torná-la inimiga de nossos seguidores. Nossos corações estão com você, Miriam Leitão!

A jornalista secou a água que lhe encharcava os olhos.

– Por falar nisso, devo um grande pedido de desculpas à senhora Brigitte Macron, esposa do meu colega francês. Endossei o comentário de um seguidor meu no Twitter, que insinuou que a mulher de Macron era velha e feia perto da minha linda esposa Michelle. Dei gargalhadas, de fato. Mas fui tolo, tá ok? Desculpo-me pela baixaria e por ter envergonhado o povo brasileiro perante o mundo. Me perdoem também Bill de Blasio e os mais de 60 mil nova-iorquinos que assinaram um pedido para que um patrocinador deixasse de apoiar minha visita a Nova York. Até alguns minutos atrás, eu era, de fato, despreocupado com as questões ambientais e apoiava a retirada dos índios de onde quer que eles estivessem atrapalhando os pecuaristas. Isso não vai mais acontecer!

O presidente mudava palavras do texto de Almeida, mas quase sempre mantinha o sentido. Apesar das gafes que acompanhavam os improvisos, Almeida vibrava, de alma lavada, sonhando com a repercussão internacional positiva que aqueles pedidos de desculpas poderiam ter para o Brasil.

E Jairo seguia com o discurso.

– Peço perdão aos cineastas e a todos os produtores de cultura no Brasil por tê-los ofendido, por ter arrasado o cinema e o teatro brasileiro nesses três anos e meio de governo, impedindo a livre criação de obras culturais. Isso acabou! E o que vocês disseram sobre mim, que eu sou racista e que me orgulho de não gostar de homossexual... Bem, ninguém gosta de homossexual, caramba, a gente suporta! Vocês sabem disso, mas não vou mais ficar dizendo isso por aí, tá certo? Foi um deslize e... – Jairo improvisou toda esta parte: – Bem, aproveitando que eu falei de cultura, gostaria de pedir aos produtores que usassem a Lei Rouanet para trazer aqui pro Brasil aquele show *O livro de Mórmon*, da Broadway, pois, como os senhores sabem, sou muito cristão, e Deus acima de tudo!

Os ministros militares que estavam ali perto fizeram o sinal da cruz, pensando que Jairo talvez estivesse voltando ao normal. Enganaram-se.

– Retornando a um tema que tenho tratado muito, e com muita distorção dos fatos históricos, falarei agora da ditadura militar que entre 1964 e 1985 comandou este país.

O ministro da Defesa começou a descer a rampa.

– Mataram muita gente mesmo! Pera aí, ministro, é jogo rápido! – Jairo disse, fazendo com que o ministro envergonhado voltasse. – Compadeço-me de todos eles. Compadeço-me da família do estudante Edson Luís, assassinado pela ditadura no restaurante Calabouço em 68. Sou solidário ao escritor Marcelo Rubens Paiva, pela morte de seu pai, o deputado, tão violentamente torturado. – E mais um improviso: – Inclusive admiro aquele teu livro, *Feliz Ano Velho*... me contaram sobre o conteúdo... E, de fato, acho que eram mesmo felizes os tempos antigos, sem esse *mi mi mi* todo. Mas o que é que eu posso fazer?

Mãe Frederica abria um sorriso satisfeito por trás da máscara de pano verde, sem acreditar no que estava vendo e ouvindo. Depois de dar um abraço apertado em Rubão, continuou ali, diante de Jairo, sentindo-se recompensada.

– Lembro a honra de brasileiros que, independentemente do projeto político em que acreditavam, lutaram pela liberdade de expressão, e, de maneira mais ampla, pela liberdade de pensar e existir, tá certo? Meu respeito a Carlos Lamarca, ainda que eu considere justa sua condenação como desertor do exército. Meu respeito também a Carlos Marighella, avô dessa neguinha simpática que tá aqui na minha frente! – Era mais um improviso, claro, seguido do texto que estava nas folhas: – Todo o meu respeito também ao Vladimir Herzog, e não só a ele, que foi assassinado pelo regime militar, mas a todos os jornalistas cuja honra insultei, tentando desqualificar a profissão, como se reportar os fatos fosse um atentado, apenas porque me faziam as devidas críticas. Peço perdão aos jornalistas de maneira geral em razão do desprezo que demonstrei pela profissão de vocês, mas em especial à jornalista Patrícia Campos Mello, porque, quando você revelou o disparo ilegal de mensagens de celular durante minha campanha, Patrícia, eu insinuei que você queria me *dar o furo*, uma grosseria, piada um pouco infantil, eu sei. Não o farei novamente.

A rua à frente do Palácio do Planalto estava cada vez mais lotada.

– Reconheço que tudo o que fiz foi em benefício de um projeto meramente egoísta de instituir no Brasil uma mentalidade conservadora preconceituosa apoiada pelo reverendo Jeroboão, que é outro que tem seu projeto pessoal de poder muito bem definido. Instituímos uma mentalidade discriminatória, perse... – Ele olhou para mãe Frederica e perguntou: – Como é que se diz isso?

– Persecutória – ela explicou.

– *Per...se...gu...tória*, eu disse, tá ok? Uma mentalidade contrária à preservação do meio ambiente e prejudicial ao bem-estar geral da população. Arrependo-me disso, claro!

Jairo ainda tinha um longo *mea culpa* a fazer quando se aproximou dele um tanque militar barulhento, soltando uma fumaça cinza muito escura. A fumaça rapidamente se transformou numa nuvem e encobriu a multidão que estava na rampa do Planalto. Jairo interrompeu o discurso para tossir. Aliás, tossiu muito, todos em volta tossiram. Muita gente caiu desmaiada. O fumacê da Marinha só não intoxicou Rubão e mãe Frederica porque eles vestiam grossas máscaras de pano anticovid.

Almeida ouvia a gritaria pelo celular que seguia ligado no bolso de Rubão, mas não entendia nada.

– O que houve... e esse barulho? Por que Jairo interrompeu meu discurso?

Quando a fumaça começou a baixar, o presidente voltou ao seu estado normal. Ainda zonzo, coçando os olhos, tossindo, olhou para as folhas que tinha na mão e as exibiu, indignado.

– Que droga é isso aqui? – Jairo esbravejou, tossindo novamente. – Quem escreveu essa porcaria?

Percebendo que, por alguma química misteriosa, a fumaça dos tanques havia anulado o feitiço, mãe Frederica simulou um *meia volta, volver* e, seguida por Rubão Valentão, desceu a rampa do Palácio do Planalto marchando em ritmo normal, como se nada tivesse acontecido.

Rubão já estava no comando de um jipe da Marinha, mãe Frederica a seu lado, quando, pelo radiocomunicador dos militares, ouviram os gritos do presidente lá em cima:

– Alguém prende aquela quilombola! E leva também o vagabundo do índio que tá com ela! Me deram algum veneno, não sei o que foi... Me hipnotizaram e me fizeram ler estes absurdos, mas a fumaça providencial da nossa Marinha me salvou!

A essa altura, Almeida já tinha concluído que o plano da Pombagira havia falhado mais uma vez. Melhor dizendo, funcionara até que o fumacê acabou com tudo.

As câmeras já não filmavam o presidente, pois estavam mostrando os estragos causados pelo fumacê. Ouviam-se sirenes. Dezenas de pessoas tinham sido intoxicadas, muitas vomitavam, caídas no chão. O que Jairo disse em seguida só foi ouvido porque o rádio de um fuzileiro seguia ligado, transmitindo a voz do presidente para o tanque da Marinha, de onde o celular de Rubão a retransmitia para o celular de Almeida.

– E esta merda de discurso ainda foi escrito por um pau de arara cabeça chata, paraíba filho da puta, esse Almeidinha! Tem que baixar a porrada nele!

No hotel Arpoador, com os olhos arregalados e as sobrancelhas no alto da testa, Almeida temia que seguidores de Jairo pudessem entrar por aquela porta para linchá-lo. Mas, depois de tanto tempo imerso nos acontecimentos do futuro, lembrou-se de que ainda estava em 1964. Mais precisamente, em 29 de março de 1964, dois dias antes do início do Golpe.

Quando se certificou de que a porta estava trancada, sentiu vontade de um duplo ato de autoindulgência. Sentou-se no sanitário, abriu uma Brahma gelada e brindou sozinho, no ar.

Uma boa parte de seu discurso tinha sido lida por Jairo, e isso poderia ter enorme repercussão. Por outro lado, o presidente já tinha voltado a seu estado normal, e certamente faria um desmentido das palavras que ele próprio dissera. Almeida não sabia se aquelas imagens gravadas, repetidas à exaustão, seriam suficientes para fazer com que Jairo perdesse o apoio da massa conservadora viciada em fake news, ou se Jairo Dois conseguiria dar carga máxima em sua milícia do ódio para reverter os efeitos potencialmente drásticos daquele discurso.

Surpreendeu-se ao perceber que a loira amiga de Nara estivera o tempo todo a seu lado na cama do hotel e, ao contrário dos outros encontros, não a desejou. Beijou-a daquela vez como se fosse a última. E, ao vê-la dormindo, Almeida flutuou no ar, como se fosse um pássaro: voando pelos céus de Ipanema, aceitando finalmente a inexorabilidade do fluxo da história e a inviolabilidade do *continuum* espaço-tempo. Sim: nada do que havia feito desde que descera no elevador para ir ao encontro de Tom Jobim... nada havia resultado em mudança nos rumos do país.

A hora de voltar estava próxima!

Finalmente Almeida mataria saudades da filha Juju. Faria o que fosse preciso para reconquistar o amor de Lígia. Sem se preocupar com o sono da loira que seguia desacordada na cama, começou a cantarolar, sereno e sonhador:

– *Cadê meu caminho? A água levou...* – Esqueceu-se de uma parte, e seguiu: – *E o meu amor me abandonou... Voou, voou, voou!*

Quando aterrou novamente, ainda admirando a cidade pela janela, começou a raciocinar em voz alta:

– Neste 1964 em que me encontro, o golpe militar começa depois de amanhã... e o máximo que eu posso fazer aqui é ser atropelado por um tanque. No futuro, pelo que mãe Frederica me disse, dentro de poucos dias vão fazer os desfiles de escola de samba que foram adiados por causa da tal gripe... O Exu da Grande Rio vai vencer... os orixás vão vencer! Depois disso começa a movimentação para a eleição presidencial... Jairo pode conseguir mais quatro anos e terá tempo suficiente para destruir de vez a nossa democracia... Preciso impedi-lo... Sim, chegou a hora!

Estava mais que na hora de arrematar o que fosse preciso no passado e, sem perder tempo, voltar ao futuro.

28

Seguindo as instruções de Tom, que continuava em Nova York, Almeida foi pedir ajuda a Nara Leão para voltar ao século 21. Afinal, se Tom lhe dissera que "Nara sempre soube de tudo", ela devia saber como fazê-lo entrar num elevador em 1964 e sair dele em 2021 ou 22. O endereço do apartamento de Nara, o endereço da bossa nova, ele sabia de cor. Mas, quando estava a caminho, ainda no começo da praia de Copacabana, viu Nara sentada num banquinho de cimento diante do mar, triste e sozinha.

A musa da bossa nova ainda se esforçava para dar a volta por cima depois de um desgosto amoroso que impactaria a história da música brasileira. Seu noivo, Ronaldo, a trocara pela cantora Maysa, partindo-lhe o coração a tal ponto que Nara decidira romper não só com o noivo e com a cantora traíra, mas com a bossa nova de maneira geral.

– Você está bem, Nara?

– Almeidinha, querido! Estava mesmo te esperando.

Reconhecendo seu egoísmo, Almeida até agradeceu aquela situação desventurosa de Nara, pois sempre pensara que o rompimento dela com a bossa nova tinha sido fundamental para que o Brasil começasse a usar a música como veículo de protesto. Sem falar que Nara chamaria a atenção da elite brasileira para o que havia de melhor no samba dos morros.

– Sou seu fã, Nara! Essa sua virada para o samba de morro vai mudar a música popular brasileira! Sua gravação de "Berimbau" é inesquecível... *Quem é homem de bem não trai...* Adoro, mais que tudo, as canções do Zé Keti... *Em qualquer esquina eu paro, em qualquer botequim eu entro* – Almeida cantou, "Desafinado", mas empolgado, como nos primeiros encontros com Tom.

Nara sorriu, e assumiu um tom confessional.

– Eu desconhecia, Almeidinha. Não sabia que no alto dos morros, pertinho da minha casa, existiam compositores geniais como Zé Keti, Cartola e Nelson Cavaquinho.

Quem os apresentara a Nara fora Carlinhos Lyra, possivelmente o primeiro bossanovista a iniciar uma trajetória ativista que resultaria mais tarde em protestos contra o autoritarismo no Brasil.

– Quer conhecer os gênios?

– Sim, absolutamente sim, Nara... Mas estou com um pouco de pressa. Imagino que, sabendo de tudo, você também saiba que preciso voltar ao lugar de onde vim.

– Tô sabendo, e vou te ajudar. Mas você não vai ser um grande presidente se não conhecer a realidade das favelas brasileiras.

Almeida sorriu, mas logo quis corrigi-la.

– Como assim, Nara? Acho que não me elegem pra presidente nem no futebol do Flamengo!

– Fluminense.

– Hein?

– O Ronaldo, meu ex-noivo, torce pelo Fluminense. Mas... esquece, vamos esquecer isso, Almeidinha. Vem comigo.

Os dois subiam o morro da Mangueira a pé, e Nara ia contando suas descobertas a Almeida:

– Conheci um outro lado da vida. Existe fome, existem pessoas muito pobres... Não tinha me dado conta, acredita? Naquele dia em que você apareceu na praia e, depois, lá em casa, ficou paquerando aquela conhecida do Ronaldo, eu era muito novinha ainda, tinha só quinze ou dezesseis anos.

– Ah, então a loira... Ela não é sua amiga?

Nara sorriu.

– Nunca mais vi. Era tanta gente que aparecia lá em casa querendo tirar uma casquinha da bossa nova. Não sei nem o nome dela, acredita?

Almeida ficou em dúvida se Nara estava apenas sendo delicada, seguindo a recomendação de Tom para não tocar num assunto tão incômodo para ele. Mas, tratando-se de Nara, devia ser verdade. Claro que era!

– Ah, mas que bom saber disso! – Almeida mudou de assunto. – Digo... que importante você ter decidido subir o morro para ver o que há nas comunidades.

– É... Acredita que eu nunca tinha subido numa favela?

– A Zona Sul normalmente só se interessa pelo morro quando tem desfile de escola de samba – Almeida sentenciou.

– Também não é assim, Almeidinha. A gente não tinha acesso, só isso.

Quando Nara e Almeida chegaram ao alto do morro, subiram uma escadinha de tijolos para alcançar uma laje de onde se tinha uma vista linda do Rio. Ali estava uma dezena de músicos, tocando um samba contagiante:

– *A sorrir, eu preciso levar a vida...*

Quem puxava era Elton Medeiros, ao lado de seu parceiro Cartola, e, perto deles, Zé Keti. Aqueles artistas eram quase todos filhos de empregadas domésticas que trabalhavam nas casas dos ricos. E Almeida se emocionou pensando em como seria o Brasil se o morro e o asfalto ficassem mais próximos, se os netos de escravos pudessem frequentar as mesmas escolas que os netos dos barões do café. Sim, esse era seu grande sonho: que todos os brasileiros tivessem oportunidades equivalentes!

Pensamento comunista? De jeito nenhum. Almeida entendia que era preciso diminuir as distâncias entre os muitos brasis que viviam em conflito no Brasil.

Ao ver o gingado de Zé Keti enquanto ele apresentava uma nova canção, arrepiado, Almeida se lembrou de uma outra, composta muitos anos mais tarde, em que Tom agradecia aos mangueirenses, com letra do Chico, a belíssima homenagem de fazê-lo tema de um carnaval na Sapucaí.

Mangueira... o morro veio me chamar.

Almeida sentia também que o morro estava lhe chamando, ainda que, na realidade, o chamado tivesse partido de Nara.

– Vem, Almeidinha, deixa eu te apresentar – ela disse, puxando o novo amigo pela mão. – Pessoal, esse cara simpático de sorriso contagiante é um dos maiores letristas da nossa música e um dia vai mudar o Brasil. Se quiserem fazer uma parceria com ele, é só falar!

A turma do samba recebeu Almeida com abraços calorosos e muita Pirassununga. Ele sentiu-se em casa, e puxou:

– *Mangueira, teu cenário é uma beleza... que a natureza criou.*

– É só o fino! Jamelão no Carnaval de 56! – Nelson do Cavaquinho comemorou.

Todos cantaram:

– *O morro com seus barracões de zinco... quando amanhece, que esplendor! Todo mundo te conhece ao longe...*

E no fim veio o coro, arrepiando Almeida:

– *Chegou, chegou, chegou... A Mangueira chegou!*

Ele cantou e gingou com tanta graça que recebeu cumprimentos de absolutamente todos os sambistas que estavam naquela laje. Até dona Zica e Cartola vieram abraçá-lo e dizer como estavam felizes com a visita.

– Meu coração bate com esperanças outra vez – disse Cartola. – Um dia você vai se lembrar desse nosso encontro, Almeidinha. Não deixa nada te tirar do caminho. Cumpre tua missão!

Lágrimas escorreram pela bochecha rosada de Almeida.

E, enquanto ele as secava com a ponta da gravata, Nara fez algumas grandes revelações:

– Gente, o Almeidinha já escreveu discurso pro JK, na inauguração de Brasília... e esteve em muitos momentos marcantes da nossa história, não é, Almeidinha?

Como estava escuro, poucos notaram que Almeida ficou completamente ruborizado.

– Mais ou menos, Nara... – Ele pigarreou. – Eu tenho viajado bastante, é verdade. Mas não queria perder a oportunidade de dizer a vocês que, sendo um paraibano do Cariri, ainda que more em Ipanema, eu nunca tinha visto de perto a alegria do morro. Quero agradecer a todos por me receberem tão calorosamente na casa de vocês. Um dia espero fazer algo pelo morro, algo que possa demonstrar meu apreço pelos brasileiros descendentes de africanos que vieram para cá em navios negreiros, maltratados e escorraçados.

A turma do samba começou a aplaudir, e Almeida fez ainda uma declaração:

– Zé Keti, amo você, meu irmão! Cartola, dona Zica, Cachaça, Elton, Nelson... meu coração é de todos vocês.

Depois de mais samba, mais Pirassununga e abraços, quando a festa terminou, Nara e Almeida foram guiados por um menino que os levou pelas ruelas e escadas íngremes, escorregadias e naquele momento já bastante escuras. Foram conversando sobre o assunto que mais lhes interessava:

– Então, cara – ela disse –, o Tom me contou tudo. Você acha que ainda pode impedir o Golpe?

– Tentei de tudo, Nara. Mas nada funcionou, e não acho que dê tempo de parar os tanques do marechal Castello Branco e do general Kruel. Por outro lado, ando profundamente esperançoso quanto ao nosso futuro, acreditando que sua aproximação com o morro pode significar o rompimento de barreiras sociais, uma redução da desigualdade que tanta tensão social tem gerado e ainda vai gerar.

– Espero ajudar pelo menos um pouco...

– As consequências dessa sua atitude conciliatória, Nara, só serão percebidas, talvez, daqui a sessenta anos.

– Fico muito honrada com o que você diz, Almeidinha. Tô tentando fazer a minha parte. Gravei meu primeiro disco e decidi não incluir nenhuma bossa. Só o samba dessa turma que você conheceu, umas canções bem afro do Vinicius com o Baden e outras de uma turma de compositores jovens. Espero prestar algum serviço ao Brasil, cê tá entendendo?

– Nara, isso é incrível. Você está miscigenando a nossa música, fundando a MPB como a conheceremos mais tarde!

– Ah, não exagera, Almeidinha! O disco mal chegou às lojas.

– Eu sei, disco lindo... vai ser... quer dizer, deve estar lindo, né?

– Eu não sou nem nunca vou ser cantora profissional. O que eu quero é cantar toda e qualquer música que faça a gente ser mais brasileiro.

– Pena que o Golpe vá nos deixar de calça arriada – ele disse, mas Nara já recomeçara a falar:

– Tem show de lançamento amanhã à noite. Quer vir?

29

Na noite seguinte, Almeida ficou o show inteiro perto de Nara no palco da boate Zum Zum. Num canto, sentado num banquinho, ele analisava a plateia enquanto a cantora surpreendia os ouvintes com aqueles sambas lindos.

Ele se lembrou de que, antes de Nara, poucos cantores tinham se preocupado em expor as questões mais urgentes do país, e que quase não havia o que ela chamava de "consciência política". De fato, não era uma tradição na música brasileira reclamar direitos. Música de protesto, até então, era meio que "coisa de franceses". Seria justamente Nara, com seu show *Opinião*, ao lado de Zé Keti e João do Vale, que começaria a protestar contra a desigualdade social brasileira e a ditadura que já era quase uma realidade.

No dia seguinte, Almeida e Nara se encontraram na praia, no mesmo banquinho de cimento, conversaram um pouco e foram caminhando em direção ao edifício onde ela morava.

– Tive uma nova conversa com Tom – Nara disse. – Ele me ligou de Nova York. Achei que tivesse me contado tudo da outra vez, mas agora é que eu finalmente fiquei sabendo de onde você veio.

– De Taperoá... Foi isso o que ele disse?

– Também, também. Escuta, Almeida. Tom me disse que você não vai conseguir impedir o Golpe. Aliás, os tanques já estão em movimento. Em poucas horas, vão derrubar o Jango.

– Já sei disso, Nara. Estou resignado. Só estou esperando você me dizer como...

– Como você volta pro futuro? Vamos até o meu apartamento que eu tenho uma saída pra você.

– Vai dizer que é o Galeão? – Almeida brincou, ajeitando os óculos azuis sobre o nariz.

– Almeidinha, confia em mim. Se der merda, eu vou estar no mesmo banquinho de cimento, à uma da tarde do dia primeiro de abril. Nem que seja pra ficar de pé na frente do tanque dos generais golpistas.

Os dois entraram no edifício num silêncio fúnebre. Nara parecia ao mesmo tempo solene, consternada e resignada diante da despedida precoce de seu novo amigo, e justamente no dia de uma tragédia nacional que ele tanto se esforçara para evitar. Ao se aproximar do elevador, ela disse:

– Chegou a hora, Almeidinha. Vai!

Ele já estava dentro do elevador, olhar espantado, as sobrancelhas no alto da testa, segurando a porta.

— Espere, Nara. Preciso lhe dizer uma coisa...

— O portal pode se fechar, Almeidinha, e só vai se abrir de novo em 28 dias. Até lá, o Brasil já terá deixado de ser uma democracia.

— É rápido, me escute: tome cuidado com os generais torturadores! Eles são como o carcará da canção. — E Almeida cantou, em ritmo lento: — *Ele puxa no umbigo inté matar...*

Nara lhe deu a mão e cantou junto, muito solene:

— *Carcará... Pega, mata e come...* — Ela, em seu agudo habitual, ele, com uma voz mais grave que o normal, criando uma dissonância triste: — *Carcaraaaaaá...*

Quando o ar acabou e o som de suas vozes finalmente se esvaiu, Almeida voltou a alertar Nara sobre os militares violentos que em poucos dias passariam a mandar no país.

— Os carcarás de Brasília vão pegar, matar e sumir com muita gente que você conhece. Vão matar o filho da Zuzu Angel, depois a própria Zuzu... Algumas centenas vão morrer, ou milhares, porque nunca saberemos de tudo... E vão planejar seu assassinato também, Nara! Você não vai morrer disso, mas precisa se cuidar.

— Que horror, Almeidinha! Acredito em você, e não confio nesses milicos conspiradores. Te agradeço muito mesmo, mas sei me cuidar. Vai logo, vai! Fecha essa porta e aperta no *C*...

— *C* de carcará, de cobertura... ou de quê? — ele perguntou com um sorriso desajeitado, esperando que Nara fizesse uma brincadeira como as de Tom Jobim.

– *C* de candidato, Almeidinha! – ela explicou em tom sério, olhando nos olhos arregalados dele. – Você vai ser candidato a presidente do Brasil!

Nara tinha pressa. Deu um beijo no rosto de Almeida e saiu para que ele pudesse ir logo para o lugar, ou melhor, para o tempo de onde tinha vindo.

Almeida ainda abriu a boca querendo lhe dizer alguma coisa, mas, como que por encanto, ou espanto com a revelação que lhe acabava de ser feita como se fosse uma profecia, nenhuma palavra saiu. O elevador começou a subir, e subiu rapidamente, parecendo foguete em direção ao espaço.

Quando Almeida enfim sentiu uma freada e se segurou nas paredes para não cair, a porta se abriu sozinha. Ele estava um pouco zonzo, como se a viagem de volta tivesse sido mais longa que a de ida.

Quem segurava a porta do elevador Lacerda, em Salvador, era o porteiro Zé Protásio, seu conterrâneo.

– Almeidinha, rapaz! Estávamos todos te esperando.

– Todos? Mas... Espere, você não é o porteiro do edifício de Tom, lá no Rio?

– Rapaz, eu apenas *trabalho* com o Tom. Onde quer que ele precise de mim. Mas eu ainda tô arrepiado, viu? Se é verdade o que ouvi agora, vamos ter um pernambucano, um de alma cearense e um *paraibano* concorrendo à presidência.

– Três nordestinos?

– Pois não é? Acabo de saber que tu vai ser candidato. E pode contar com o voto desse teu conterrâneo aqui! Ah, Almeidinha, querido... tem uma turma aí querendo falar com você.

Almeida estava zonzo com tanta informação.

– Turma?

– Só gente boa. Olha ali...

E, diante do porteiro, havia, de fato, três pessoas à espera do candidato.

30

A mulher que veio receber Almeida vestia uma espécie de túnica branca que lhe dava um ar ao mesmo tempo solene e acolhedor. E nos olhos dela havia um brilho muito intenso, como se ver Almeida fosse a concretização de alguma antiga expectativa.

– Almeidinha, querido, quanto tempo!

Ele ainda tinha os olhos embaçados, consequência da viagem de volta de 1964 para 2022, que, de fato, não fora tão suave quanto a de ida. Ajeitou os óculos sobre o nariz, querendo enxergar melhor. Conhecia muito bem a respeitável senhora. Era uma grande atriz.

– Selminha... dona Selminha, quanta honra!

– A honra é minha, candidato – ela respondeu sorrindo, dando-lhe beijos nas bochechas. – Estou de olho em você desde aquele dia em que nos vimos na peça de Nelson Rodrigues, lembra?

— Claro, claro — ele disse, sem saber como aquela atriz poderia ter presenciado algo que acontecera sessenta anos antes e ainda estar ali, tão jovem, à sua frente. "Terá acesso aos elevadores também?", pensou.

— Quanta bravura, quanta lisura, Almeidinha! O jeito com que você lidou com aquela crise na reestreia de *Beijo no Asfalto* me deixou muito confiante. Percebi ali que tínhamos uma pessoa decente e qualificada pra conduzir o país. E olha que isso faz tempo, hein!

— Mas você realmente acha que... — Almeida finalmente percebeu que a pessoa ao lado da atriz era um queridíssimo ator. — Lázaro? Mas o que é isso? A que devo tamanha honra?

— Almeidinha, querido, quanta alegria ter você a nos representar! — Lázaro disse, contente e sério, preocupado com a gravidade da situação no país. — Tom e Nara nos contaram sobre tua atuação exemplar no passado, nos mostraram, com a clareza que só os dois têm, que você é a pessoa indicada pra curar as veias abertas deste nosso país. Principalmente agora que estamos tão fragilizados por quase quatro anos de desrespeito aos nossos valores democráticos. O Brasil escolheu isso, como você sabe, e experimentou um gosto muito amargo e perverso.

Almeida o olhava sem pestanejar.

E Lázaro seguia:

— Eu estava perdendo a esperança, mas agora tô me permitindo ter esperança de novo, porque *nós* vamos agir, e não apenas ficar olhando enquanto um candidato a messias faz o que quer com o nosso país. Eu acredito muito nas armas que você tem, Almeidinha, que é ser ético, correto, respeitoso, trabalhador, conhecedor da nossa história e obstinado por compreender o Brasil.

Selminha esperou que Lázaro terminasse, e disse:

– Teus anjos, Almeidinha, que são também nossos anjos... eles nos contaram tudo. E, como nos avisaram com antecedência, já organizamos as coisas. Aliás, foi o Paulinho quem liderou.

– Paulinho da Viola?

– Poderia ser, claro... Mas é esse outro Paulinho aqui, essa graça de pessoa.

Almeida arregalou os olhos, e suas sobrancelhas dessa vez chegaram a encostar nos cabelos.

– Paulo Gustavo? Mas...

– Mas porra nenhuma. Eu morri da bosta da covid, morri sim. Mas dou meus jeitos! Desci porque lá de cima deu pra ver a importância do que vocês tão fazendo, reunindo o melhor do Brasil nessa campanha. Ah, olha só, aproveitando... quem te mandou um beijão foi a Marília. Tá vibrando pra cacete lá em cima com a tua candidatura.

– Então você não morr...

– Querido, eu já disse que morri. Quer que te explique de novo? Eu só desci por tua causa, quer dizer... por causa do Brasil. Entendeu? Quero te ajudar a ser presidente dessa porra, porque o sujeito que tá aí é racista, não gosta de viado, não gosta de democracia e adora uma ditadura. Eu acredito no poder da alegria e na nossa capacidade de rir, Almeidinha, porque o humor salva, cura, traz esperança pra vida da gente.

– É verdade...

– Essa pandemia deixou clara a importância total da arte nas nossas vidas. Você viu, né? Foram as artes, a música, o cinema, a dança, a cultura em geral, tudo isso ajudou a gente a seguir em frente. E na tua campanha vai ser assim também. Eu faço palhaçada, mas no fundo digo o que precisa ser dito, porque quero ver as pessoas felizes. Rir é um ato de resistência, Almeidinha, você sabe disso tanto quanto eu. E do teu lado nós vamos resistir ao ódio pra fazer o Brasil voltar a dar gargalhada dessa porra toda.

– Que bonito isso! – Almeida disse, com os olhos marejados.

– Ai, gente, eu até me emociono! – Paulo Gustavo foi secando as lágrimas dos olhos.

– Almeida, endosso tudo o que o Paulinho disse, e quero te contar, afinal, o que nos trouxe aqui – disse Lázaro, assumindo um tom grave. – Tua campanha começa hoje, com um grande evento. Nós três fomos encarregados de te apresentar ao Brasil. Vai ser lá no Teatro de Arena, em Copacabana.

– Vocês querem lançar minha candidatura num teatro?

– E pode ter algo mais simbólico? – Selminha perguntou. – A pessoa que vai unir o país novamente é um brasileiro que ama o Brasil, que ama nossa cultura, nosso teatro, nossa música, nossa gente... *toda* a gente brasileira, não é mesmo? E, bem, alguém que jamais vetaria a Lei Paulo Gustavo, que destinaria um dinheiro de emergência justamente pra salvar o teatro, que como toda a nossa cultura foi tratado como lixo durante o governo Jairo.

– O teatro moderno surgiu na Grécia Antiga como uma celebração da alegria – Lázaro explicou. – E queremos que a retomada do Brasil seja assim alegre, algo dos brasileiros para os brasileiros com a alegria brasileira!

– Mas quanta honra! – Almeida disse, com seu sorriso longitudinal no estado mais eufórico possível, e logo ajeitando os óculos sobre o nariz, alternando entre o entusiasmado e o espantado, dando-se conta do tamanho da responsabilidade que o aguardava. – Posso lhes dar um abraço? – perguntou, e, vendo que era bem recebido, abraçou um por um.

Lázaro...

Dona Selminha...

– Muito obrigado por me receberem. Vocês representam a dignidade, a decência, a inteligência... o que há de melhor em nosso país.

Quando sentiu o abraço caloroso de Paulo Gustavo, emocionou-se ainda mais. Sabia que o ator morrera por causa do vírus de que Lígia e mãe Frederica haviam lhe falado, e ainda não entendia como podia estar ali, de corpo e alma. "Se bem que, ultimamente, essas coisas incomuns têm mesmo acontecido", pensou, prometendo-se que não questionaria mais esse tipo de acontecimento.

Aliás, naquele instante se lembrou de que, antes de seguir ao Rio, tinha algo importante a fazer em Salvador.

– Queridos, tenho tempo de visitar uma amiga? É aqui pertinho, na Cidade Alta mesmo...

– Claro! – disse Lázaro. – Isso já estava nos planos.

Os quatro foram caminhando pelo Pelourinho, lembrando-se de que ali tinha começado o Brasil. Salvador, afinal, fora a capital brasileira até 1763, quando os portugueses decidiram mudar a administração para o Rio.

Enquanto caminhava, Almeida telefonou para Lígia, e depois para Juju, mas elas não atenderam. Sentindo-se cansado, pegou na mão de Lázaro e os dois subiram a ladeira juntos, enquanto Paulo Gustavo ajudava Selminha a se equilibrar sobre os paralelepípedos.

Era simbólico que em seu primeiro dia como candidato, antes mesmo de ver sua candidatura anunciada ao público, Almeida passasse pelo lugar onde os escravos eram castigados, ali mesmo naquela praça por onde eles caminhavam antes da tardia abolição em 1888.

Os brasileiros que o apoiavam, desde Nara lá atrás, o estavam fazendo sentir ainda mais de perto as dores do Brasil antes de embarcar na aventura de tentar governá-lo. Primeiro, a favela no Rio, depois, a história inteira da escravidão passava por sua mente. Sim, lera os livros da Djamila e do Sílvio de Almeida, conhecia cada detalhe do passado brasileiro, e sentia que era preciso fazer tudo o que fosse possível para reparar ao menos um pouco o dano histórico.

– E pensar que Jairo não entende o horror que o negro brasileiro sofreu! Se ao menos ele lesse algum livro... O desequilíbrio causado pela escravidão e pelo desprezo a que os indígenas foram relegados... isso precisa ser corrigido urgentemente – Almeida disse, olhos marejados, ainda de mãos dadas com Lázaro.

– Vamos esquecer o Jairo, Almeidinha. Ele é página infeliz da nossa história, passagem que um dia vai ficar desbotada de nossa memória. A gente tem o poder de mudar isso. Tenho certeza de que isso agora vai passar.

Almeida os conduziu até um casebre colonial com grade de ferro e, ali, os quatro foram recebidos calorosamente por mãe Frederica. Almeida lhe deu um abraço muito apertado e derramou lágrimas emocionadas.

– Minha mãe... Acho que você já os conhece, né?

Mais que emocionada, mãe Frederica ficou preocupada, querendo sair da vista de eventuais seguidores de Jairo ou do reverendo, pois a rua estava lotada.

– Entrem, entrem... Não sei se ainda estão nos vigiando.

A conversa no terreiro foi acompanhada de um delicioso acarajé com camarão seco e cerveja. Afinal, todo mundo gosta de acarajé. Almeida e mãe Frederica lembraram um pouco o que havia acontecido desde a última consulta, em 2018, quando, depois de interpretar a mensagem de seu oráculo, mãe Frederica dissera que Almeida devia mesmo partir em viagem – e ele pensava que o destino seria Paris.

Almeida e mãe Frederica lamentaram que, apesar de funcionar, o feitiço da Pombagira não tivesse produzido os resultados esperados, mas entenderam que até isso parecia ter sido calculado pelos orixás. Afinal, concluíram que Almeida precisava mesmo ter voltado ao futuro para fazer algo que realmente impactasse os rumos cambaleantes do país.

– Gente, eu sei que o papo tá muito bom, mas, com sua licença, querida mãe, a gente não tem mais tempo – disse Paulo Gustavo. – Anda, Lázaro, conta logo aí o que tu tem pra contar.

– Minha mãe – Lázaro disse, pegando nas duas mãos de mãe Frederica, com imensa reverência. – Queremos que a senhora seja a vice de Almeidinha nessa campanha que vai começar. Aceita?

– Mas, filho, Lázaro... Uma preta nordestina vice-presidente do Brasil? Isso é... bem, maravilhoso!

– Isso é maravilhoso, minha mãe! – Almeida concordou, abrindo seu mais largo sorriso.

– Mas... vocês acham que eu dou conta? E, além de tudo, acham que vão permitir que uma umbandista socióloga seja eleita, e ainda correndo o risco de um dia ser presidente quando Almeidinha viajar?

– Já passou da hora, minha mãe – Lázaro disse, sem soltar as mãos dela. – Tem muita gente boa por aí, e nós consideramos outros nomes. Mas precisamos de uma mulher inteligente, sensível e corajosa ao lado de Almeidinha.

– É isso mesmo, gente! – Paulo Gustavo sentenciou. – A preta do acarajé e o paraibano de pernas tortas vão comandar o Brasil! Não é maravilhoso?

Dessa vez, mãe Frederica avaliou que não era preciso consultar os orixás.

– Vamos logo pro Rio!

31

O Teatro de Arena de Copacabana estava lotado. Na primeira fila, notavam-se presenças importantíssimas, como a do youtuber Felipe Neto, embalado numa conversa animada com Anitta, com a chef Paola Carosella e os atores Mark Ruffalo e Leonardo de Caprio, que visitavam o Brasil numa campanha criada pela cantora para estimular os brasileiros a votar. Perto deles, ainda na primeira fila, o médico Drauzio Varella conversava com os apresentadores Ana Maria Braga e Luciano Huck sobre certas posturas do Ministério da Saúde de Jairo. Corria um zum-zum-zum de que Huck assumiria o Ministério das Comunicações num eventual governo Almeida.

Taís Araújo falava com o médico Thales Bretas, marido de Paulo Gustavo, encantada com o surgimento de uma candidatura de união nacional. Caetano, Gil, Chico Buarque, Maria Bethânia, Gal Costa e Daniela Mercury estavam juntos, falando também das qualidades de Almeida, mas como letrista e redator de discursos.

– Vai ser um digno resgate também de nossa língua – disse Gil, recém-empossado na Academia Brasileira de Letras.

Djavan, Lenine e Ivete chegaram logo em seguida e foram conversar com um grupo de músicos que tinha entre eles Mano Brown, Criolo e Emicida. Na camisa de Emicida, lia-se: "Vote!".

Estava ali também o ex-presidente Fernando Henrique Cardoso, que conversava entusiasmadamente com a ex-presidente Dilma Rousseff e com a senadora Marina Silva sobre a sensibilidade de Almeida para as questões indígenas. Marina trouxera representantes de tribos da Amazônia, entre eles alguns Yanomamis de Roraima, ainda enlutados depois da morte da menina que fora estuprada por um garimpeiro.

Marcelo Adnet estava cercado por um grupo grande, imitando, um por um, os ex-presidentes do Brasil. Almeida teria ficado com um nó na cabeça se visse a imitação perfeita que o humorista fez de Tom Jobim. Mais estranho era ele reproduzir um diálogo que, teoricamente, só Almeida e Tom tinham vivenciado.

– Amigo, aqui é o Tom Jobim, sim. – Adnet imitava perfeitamente a voz de Tom. – Sou eu, Almeidinha! O pianista, o cara que você adora... compositor da canção que você vive cantando pra tua mulher.

E todos riram.

Riram também com as piadas de Fábio Porchat, Pedro Cardoso, Ingrid Guimarães, Marcelo Madureira, Leandro Hassum e Tatá Werneck, que se alternavam numa roda imitando personagens risíveis da atualidade. Danilo Gentili estava lá, querendo convidar o candidato para seu talk show. A cantora Pablo Vittar conversava com a empresária Luiza Trajano e com o padre Júlio Lancelotti. Paulo Coelho entrou na roda e disse a eles que Almeida o inspirava a escrever o segundo volume do seu *O Alquimista*.

– Não deixa de ser um feiticeiro do bem!

Os jornalistas Fernando Gabeira, Flávia Oliveira, Natuza Neri, Ancelmo Góis, Bernardo Mello Franco e Andrea Sadi batiam um papo animado com Nelson Motta, que lembrava algumas histórias dos Anos Dourados. Nelson contava a eles a curiosa saga de Almeida com a loira que, no final das contas, não era amiga de Nara. Lilia Schwarcz e Gabriela Prioli interromperam uma conversa sobre as qualidades literárias de Almeida para rir daquela história. As apresentadoras do *Calcinha Larga* ficaram animadíssimas, querendo arrumar um jeito de conversar com a loira-que-não-era-amiga-de-Nara na próxima edição do podcast.

Ali Kamel e o professor Sílvio de Almeida falavam da visão moderna do candidato sobre as ações afirmativas e a lei de cotas. Sérgio D'Ávila e Eurípedes Alcântara ainda se diziam intrigados, tentando definir se Almeida era ou não o tão sonhado candidato que acabaria com a polarização.

– Talvez ele seja apenas a *única* via neste momento – disse Mônica Bérgamo, entrando na conversa.

Manoel Carlos dizia a Ricardo Waddington que poderia voltar à ativa, que gostaria de transformar a saga de Almeida numa linda novela das nove. Apenas trocaria o nome Lígia por Helena. Silvio de Abreu planejava levar para a HBO uma telessérie chamada *O Candidato Ideal*. Tadeu Schmidt brincava com Juliette, Gil do Vigor e Scooby, dizendo que adoraria ver Almeidinha no BBB23.

– O mundo precisa de mais Almeidas – o apresentador disse, emocionado. – *Eu* quero ser mais Almeida!

Armínio Fraga, Henrique Meirelles e Guilherme Mello conversavam com Miriam Leitão, que elogiava as qualidades do programa econômico que a equipe de Almeida lhe antecipara, e que conseguira a façanha de agradar a todos eles.

Via-se ali também o empresário Lemann, cercado de outros empresários decididos a fazer com que o Brasil deixasse de ser visto como, nas palavras de um deles, "uma republiqueta governada por um pária". Lemann dizia que já tinha conseguido o apoio de Warren Buffett e prometia sensibilizar outros bilionários do mundo para investirem na retomada do Brasil.

A atriz Maria Flor acabara de fazer uma postagem indignada contra o governo Jairo.

Havia naquele teatro circular muita gente que se indignara ao longo dos últimos quatro anos, desde a malfadada eleição em 2018. Uma das vozes mais ouvidas era a da ativista indígena Sônia Guajajara, que debatia o Brasil pós-Jairo com a cientista política Ilona Szabó e um grupo de ambientalistas. André Trigueiro levou um cartaz pedindo justiça em nome das famílias de Dom e Bruno, assassinados na Amazônia. Jean Willys estava com Anielle Franco, e os dois colocaram uma fotografia de Marielle numa cadeira vazia do teatro.

De repente, ouviu-se um violino.

E um pandeiro.

A Camerata Jovem da Ação Social Pela Música entrou no palco tocando "Aquarela do Brasil".

As meninas e os meninos das favelas cariocas, lindos, talentosíssimos, fizeram um show de arrepiar.

Havia mais de quatrocentas pessoas na plateia do Teatro de Arena e, sem dúvida, Almeida gostaria que todas fossem citadas nominalmente. Mas, como já estavam em agosto e faltavam só dois meses para as eleições, não havia mais tempo a perder. Paulo Gustavo foi para o centro do palco começar a apresentação.

— Oi, gente! Vocês tão me ouvindo bem? — Bastou para que a plateia ficasse de pé e o aplaudisse por mais de um minuto sem interrupção. — Oi, genteeeeee, tá bom já? — Ele sorriu, batendo palmas com o microfone numa das mãos. — Palmas pra vocês todos! Uhuuuu! Olha, eu agradeço muito os aplausos, mas hoje o show não é meu não, viu? Vocês sabem muito bem que a gente encontrou um cara superbacana, superdecente, e todos nós juntos concordamos que era preciso fazer dele o presidente do nosso Brasil.

– Fora, Jairo! – alguém gritou, sendo logo acompanhado por um grupo mais entusiasmado, no fundo do teatro.

– Calma, gente, calma aí! Por falar nisso, eu queria propor uma coisinha pra vocês: daqui em diante não vamos mais nem dizer o nome do cidadão lá. O que acham? Quem concordar comigo levanta a mão.

Todos levantaram.

– Ai... Cês não sabem o alívio que eu sinto. Consigo até respirar melhor. Cês sabem que eu tava com um aperto terrível no peito? É... tô de sacanagem não, cês tão achando o quê?

– Uhuuu, lindooooo! – Anitta gritou. – Te amo, Paulo Gustavo!

– O Brasil te ama! – alguém gritou lá no fundo.

Todos aplaudiram o ator.

– Enfim, gente, agora eu queria chamar aqui a queridíssima dona Selminha... porque ela, sim, é imortal. Aliás, cês entenderam, né? Eu só desci por uma razão muito importante. Aplausos pra nossa linda, gata, maravilhosa, Selminha! – Paulo Gustavo esperou os aplausos terminarem e prosseguiu: – Dona Selminha, por gentileza, você que é minha mestra e musa, conta pra eles um pouco mais sobre... *o tom...* – Ele sorriu, piscando o olho para ela. – O tom do nosso projeto.

– Meus queridos, muito obrigada por estarem reunidos aqui. Como me parece consenso entre nós, o objetivo é fazer agora com que a candidatura de Almeidinha seja conhecida em todo o Brasil. Eu queria começar pedindo, então, que vocês... todos vocês... comecem a fazer postagens no exato instante em que ele subir neste palco. Comecem e não parem mais, tá bem? Live, selfie, dancinha... vale tudo. Posso contar com vocês?

Muitos gritos eufóricos e aplausos confirmaram que o pedido havia sido aceito. Emicida disparou uma live; Felipe Neto também. As câmeras das tevês e sites de notícias abriram seus sinais. O Brasil inteiro passou a acompanhar o evento ao vivo. E dona Selminha continuou:

– Precisamos apresentá-lo não como um messias, porque isso não existe, vocês sabem muito bem. Queremos apresentar o Almeidinha como aquilo que ele de fato representa pra nós: uma pessoa respeitosa, um sociólogo que conhece muito bem o nosso passado... Bem até demais, né? E tem uma imensa sensibilidade pros problemas brasileiros...

Paulo Gustavo interrompeu:

– Que não caga na cabeça de ninguém, que sabe dialogar, que pensa na democracia até quando tá... eu ia dizer cagando, mas acho que já falei isso. Desculpa, dona Selminha, continua aí o teu discurso, vai.

– Bem, ainda muito mais importante é que nosso Almeidinha tem a gentileza e a habilidade necessárias para compreender as necessidades de cada um de nós, brasileiros, do pobre e do rico, do ateu e do religioso, do preto, do branco, do amarelo, do azul e do verde... E isso é fundamental pra unir o povo brasileiro outra vez.

Foram estrondosos os aplausos para dona Selminha. E Paulo Gustavo voltou ao microfone.

– Então, gente, tá claro pra todo mundo que a gente...

– Dona Hermínia, linda! – alguém gritou.

– Peraí, cacete. A peça hoje somos todos nós! – Paulo Gustavo brincou. – Que que eu ia dizer mesmo? Ah, é que o Ja... me desculpem, eu mesmo me traindo, olha...Bom, vamos fazer o seguinte, deixa eu chamar aqui outra pessoa fundamental nesse processo, um cara acima de qualquer suspeita, a integridade em pessoa. Gente, com vocês, Lázaro!

Sob imensos aplausos, Lázaro se juntou a Paulo Gustavo e Selminha. Trazia uma bandeira do Brasil sobre os ombros.

– Boa noite, pessoal. Muito obrigado por se juntarem a nós. Dando continuidade ao que o Paulo vinha dizendo, como todos sabemos, aquele-cujo-nome-não-se-deve-dizer espalhou o ódio, nos jogou uns contra os outros, inventou inimigos que nós não tínhamos, colocou em xeque as nossas instituições mais sólidas... basta ver que até agora ele tá botando em dúvida a realização das eleições. Ele destruiu, realmente arrasou com os incentivos federais para a produção de cultura, fez nós, artistas, parecermos uns corruptos que se locupletavam da Lei Rouanet. Nos pintou como inimigos do povo!

Aplausos.

– Aliás, ele tem medo da cultura, cês não acham? Nós sabemos bem o motivo. Porque a cultura expõe, a cultura é sincera,

ela não mente... e o cidadão lá sabe muito bem o quanto vocês...
as vozes do asfalto e do morro, dos centros e das periferias... vocês colocam suas vidas em risco, em tempos de autoritarismo ou de democracia, para expor a nossa realidade. Músicos, escritores, nossos atores e nossas atrizes, vozes que não se calaram. Os jornalistas, palmas para os jornalistas que se tornaram alvo preferencial das artimanhas do Jairo e o enfrentaram de cabeça erguida, usando apenas os fatos e a inteligência como armas!

Lázaro parou um instante para enxugar as lágrimas, e foi aplaudido.

– É proibido proibir! – uma voz berrou lá no fundo.

– Exato! – dona Selminha retomou a palavra. – Uma das missões do nosso Almeidinha, e, obviamente, de todos nós, é "desproibir", tornar o pensamento livre outra vez no Brasil!

– Linda!

O teatro veio abaixo.

– E pra falar de liberdade, do nosso desejo por liberdade e harmonia em nosso país – dona Selminha prosseguiu –, queria apresentar a vocês a candidata a vice-presidente na chapa de Almeidinha. Por favor, aplaudam a muito querida socióloga e ialorixá Frederica Santos!

Sob fortíssimos aplausos, mãe Frederica se juntou a dona Selminha, Lázaro e Paulo Gustavo no centro da arena.

– Obrigada, gente. Muito obrigada mesmo. Estamos todos unidos aqui, todos desejando que o Brasil volte a ser uma pátria livre, onde a vida floresce, onde a amizade e o desejo de fazer o bem estão acima de tudo. Com a licença das outras pessoas religiosas que estão aqui, gostaria de dizer que o *nosso* bem-estar tem que estar acima de tudo! Pois, quando Deus se torna uma desculpa para a manipulação, ele deixa de ser sagrado para se tornar instrumento de dominação de massas. Deus, Javé, Alá, os Orixás... eles não podem jamais estar acima do respeito ao próximo, do amor entre os seres humanos... caso contrário, não serão nem bons deuses nem bons orixás.

Naquele instante, o pouco ruído que se ouvia no teatro parou. A plateia ficou em silêncio absoluto, ouvindo mãe Frederica.

– O deus que andaram nos apresentando nesses últimos tempos é um deus que exige dez por cento do salário de seus pobres fiéis, um deus que aceita que seus soldados saiam por aí atacando os macumbeiros, os espíritas e também os católicos... um deus que decide quem são os bons e quem são os imprestáveis... que, se puder, *pega, mata e come*, pois eu mesma fui atacada algumas vezes pelos ditos "soldados do reverendo". É um deus capitalista, meus amigos, que financia um conglomerado de mídia com o objetivo de dominar o país.

Ouviram-se muitos aplausos, e mãe Frederica continuou:

– Então, acima de tudo... o que estamos propondo com a candidatura do nosso Almeidinha, de quem modestamente serei vice, é colocar *acima de tudo* o bem-estar das pessoas, dos 33 milhões de brasileiros que estão passando fome, dos pobres que não conseguem melhorar de vida porque não têm oportunidade, dos que veem a vida parar no preconceito, e eu posso lhes falar disso porque sofro nesta pele que habito... sofro por causa da espessura dos meus fios de cabelo, como o Lázaro sabe muito bem, como vocês todos, pretos, indígenas ou brancos, têm pleno conhecimento. E o Paulo Gustavo aqui do meu lado também sofreu o desdém de quem se diz cristão mas é homofóbico, e não segue Cristo coisa nenhuma, pois foi isto o que eu entendi da mensagem dele, que o amor é incondicional! Minhas amigas e meus amigos, esta é a mensagem que nós temos que transmitir. O Brasil precisa voltar a ser o país do sorriso, da gentileza e da tolerância! Precisamos voltar a ter esperança, uma esperança fundamentada, baseada num verdadeiro projeto de nação para todos nós!

Todos se levantaram e aplaudiram.

– Pessoal, aproveitando que vocês estão de pé – Lázaro disse, sorrindo –, quero pedir a vocês que saquem suas armas... seus celulares, claro, porque a gente não acha que todo mundo deve ter um revólver na cintura. Apontem seus celulares pro centro do palco! Façam vídeos deste momento e espalhem imediatamente em suas redes sociais a nossa mensagem positiva. – Lázaro disse bem alto: – E agora... com vocês... o candidato!

Os aplausos foram efusivos, eufóricos, veementes, e acompanhados por assovios tão altos que Almeida, dotado de tímpanos supersensíveis, precisou discretamente tapar os ouvidos para não perder a audição.

– Boa noite, senhoras. Boa noite, senhores. Independentemente do gênero, da cor, da origem ou da crença religiosa que possam ter ou não ter, estaremos todos juntos nesta caminhada. E não será, nem por um segundo, a caminhada de Almeidinha. Eu não existo sem vocês! Sou apenas uma criação da mente brilhante de alguns grandes brasileiros, começando lá atrás pelo Tom Jobim, meu querido amigo, e pela Nara Leão, queridíssima também de todos nós, e agora o Lázaro, a dona Selminha e o eterno Paulo Gustavo... eles que lideraram essa mobilização tão bonita. Nem sei, não sei mesmo, quantos de vocês contribuíram para este evento, quantos de vocês trabalharam no plano econômico de governo que continuaremos a construir, assim como vamos trabalhar criteriosamente pela retomada da cultura, um projeto que pedirei a Caetano para me ajudar a conduzir... espero que aceite.

– Claro que ajudo. E ainda lhe digo algo, Almeidinha: o Brasil tem jeito! – Caetano falou, levantando-se, e sorrindo. – E sei que tem jeito por quê? Porque eu quero que tenha jeito, ora bolas!

Muitos sorrisos e aplausos.

– Espero também contar com Lemann na Educação. Querido Jorge, sua experiência nesse setor, e sua determinação de levar a educação dos brasileiros a um outro nível, nos ajudará imensamente. Emicida, gênio da nossa MPB moderna, herdeiro direto de Tom, Noel e Cartola, espero que aceite a missão de conduzir o projeto de Desenvolvimento Social. Sei da sua história difícil e da sua luta, e o aprecio cada dia mais por tudo isso.

– Viva Al-mei-di-nhaaaaaa! – alguém gritou escandalosamente.

– Teremos, também, políticos profissionais nos ministérios. Faremos alianças que não comprometam nossa integridade e, bem, neste momento tão único, prefiro não me pronunciar sobre o *Centrão*. Mas vocês sabem muito bem que...

– E isso aí, candidato! – Lázaro o interrompeu com palmas, querendo evitar qualquer frase que pudesse quebrar o encanto daquele momento.

– Obrigado, Lázaro, obrigado. – Almeida voltou a falar. – Caríssimos, queria começar minha campanha, nossa campanha, citando o gigante Nelson Mandela, o que ele disse depois de 27 anos preso, quando eleito para comandar a África do Sul. Logo que assumiu a presidência, Mandela não pensou em se vingar dos *afrikaners* que tanto maltrataram os negros. Assim como Mandela, nós aqui precisamos ser melhores do que aqueles que nos maltrataram. Devemos surpreendê-los com compaixão, paciência e generosidade. E é disso que precisamos! Sabemos tudo o que foi negado a tantos de nós nestes últimos anos, que, aliás, me pareceram décadas... mas, enfim, este não é o momento para promovermos pequenas vinganças. Não vamos odiar aqueles que nos ameaçaram, intimidaram e atacaram... Vamos perdoar a todos! Padre Lancelotti certa vez me disse, e nunca esqueço: "Perdoar não é esquecer!". Portanto, vamos nos reconciliar com todos os nossos irmãos brasileiros, colocando uma pedra neste tempo de ódio que está terminando. Vamos pregar o ódio? Vamos nos vingar? De maneira nenhuma! Vamos vingar Marielle, aqui presente, mas não com ódio e com mortes, e sim com justiça. Vamos pregar o amor, a amizade e a reconciliação! Chegou o momento de reconstruir nossa nação usando cada tijolo que estiver à nossa disposição. Quem está comigo nisto? Quem está comigo?

A comoção imensa levou os participantes daquele encontro a postarem mais e mais fotografias, mensagens e vídeos, publicando e republicando as palavras do candidato Almeidinha pelas redes sociais.

Somados, os seguidores das pessoas que estavam naquela sala passariam dos quinhentos milhões. E como a população brasileira era menos da metade disso, o que se pode concluir é que a mensagem do candidato Almeidinha chegou naquele instante a quase todos os brasileiros!

#AlmeidinhaPresidente ficou em primeiro lugar no Twitter mundial. *#AlmeidinhaIacrou* ficou em segundo. *#TeAmoPauloGustavo*, em terceiro. *#LázaroLindo* e *#SelminhaImortal* se alternavam em quarto e quinto lugares. *#ViceFrederica* ficou em sexto e, depois de outras duas hashtags relacionadas ao evento, a décima colocada no Twitter mundial era *#onomequenãosedevedizer*.

O Whatsapp, em pane com o excesso de vídeos que circularam pelos grupos, ficou fora do ar por mais de uma hora. Pelo Instagram, pelo Facebook... no Tik Tok, o maior sucesso foi *Paradinha do Almeidinha*, uma montagem que fizeram em que Almeida parecia rebolar no palco ao som de *a paradinha ah, ah, ah... do Almeidinha ah, ah, ah, ah!"*. Em vinte minutos, já tinham sido mais de doze milhões de visualizações.

A repercussão foi tanta que a milícia do ódio entrou em ação. Com diversas postagens falsas, os soldados de Jairo Dois começaram a difamar Almeida. Além de muitos comentários que o tratavam como "paraíba cabeça chata" e outros que diziam "volta pro pau de arara", a principal acusação contra o candidato era de que se tratava de "um perfeito lunático", "um socialista delirante", um sujeito que nem brasileiro era, pois tinha passaporte português e fugira do Brasil em 2018 "morrendo de nojo da nossa bandeira". Houve também uma postagem bastante difundida com uma foto em que Lígia aparecia abraçada ao então chanceler de Jairo, seguida de #candidatocorno.

Usando trechos do discurso no Teatro de Arena, os *haters* conseguiram fazer uma montagem em que Almeida parecia estar incitando a plateia a agir com violência.

"Vamos pregar o ódio...", ele parecia afirmar. "Vamos nos vingar..."

Com um aplicativo que fazia alterações no tom da voz, a tropa da M.O. criou uma fake news em que o candidato parecia mesmo afirmar essas coisas, e ainda as repetir à exaustão. Rapidamente, lá de Brasília saiu uma ordem para o comando da Polícia Federal, e de lá uma outra ordem para a Polícia Federal no Rio, e o Teatro de Arena foi cercado.

Do lado de fora, centenas de apoiadores daquele-cujo-nome-jamais-se-voltaria-a-dizer gritavam "eira, eira, eira, Almeida na fogueira", "enforquem a macumbeira", com óbvia inspiração nos acontecimentos do Capitólio, e outras palavras de ordem ainda mais incisivas, muitas delas de teor impublicável. Policiais vestindo máscaras à prova de gases e armados com fuzis entraram no teatro decididos a prender Almeida, Lázaro, Selminha e Paulo Gustavo por "incitação ao crime". Estavam prestes a fazê-lo quando foram parados por Felipe Neto, que botou a mão no peito do delegado que chefiava a operação.

– Quietinho aí, seu delegado! Sem essa covardia pra cima dos meus amigos! – Enquanto Felipe falava, um de seus assessores transmitia tudo ao vivo pelo celular. – Meus advogados sabem muito bem como vocês operam e já tinham conseguido *habeas corpus* preventivos, nominais, para todos os que estão aqui. Teu chefinho lá em Brasília mandou, mas hoje você não vai prender nem amedrontar ninguém! Entendeu, *delega*? – Felipe Neto disse isso apontando para uma pilha de documentos que seus advogados haviam colocado sobre o palco.

O delegado começou a ler os *habeas corpus* e, de fato, havia 434 nomes ali. Ele não chegou a perceber uma ironia produzida pelo acaso: por uma mera questão de ordem no Supremo Tribunal Federal, quem assinou os *habeas corpus* foi o ministro Alexandre, o "cabeça de ovo" que os apoiadores de Jairo queriam jogar no lixo.

– Recuem! Abaixem as armas e recuem! – ordenou o delegado. – Essas pessoas têm autorização para falar o que quiserem. Aliás – ele disse, tirando o distintivo do peito –, todo mundo tem o direito de se expressar livremente. Coloco meu cargo à disposição, deixo a PF e só volto quando Almeidinha for presidente!

Foi uma grande comoção no teatro. Diversos policiais seguiram o gesto do delegado e declararam seu apoio ao candidato Almeidinha. Em apenas três horas, a campanha havia ganhado projeção nacional. Mais que isso, virara um fenômeno mundial.

32

Almeida estranhou que estivesse novamente no hotel Arpoador. Era curioso como o lugar havia mudado pouco naqueles sessenta anos que se passaram entre sua ida ao passado e aquela terça-feira, quando a campanha começava a decolar.

"Nem o bordado do travesseiro mudou", ele reparou, ao se levantar ainda exausto daquele dia intenso que começara no elevador Lacerda, em Salvador, e terminara no Teatro de Arena, em Copacabana.

Mas isso pouco importava. Se por um lado estava eufórico, quase sem acreditar que se tornara um candidato viável, com chances reais de vencer as eleições de 2022, por outro, seu coração doía.

"Por que Juju não apareceu ainda? Por que segue sem me atender ao telefone?"

A culpa pela traição a Lígia seria eterna, até por uma razão incomum: como jamais se esqueceria dos momentos que passara com a loira amiga de Nara, que afinal de contas não era amiga de Nara, jamais se esqueceria também da canalhice que fizera com sua esposa tão adorada e fiel. Bem, ao menos até o desaparecimento do marido, ela sempre tinha sido fiel.

Almeida tentou telefonar novamente para Lígia, depois para Juju, mas elas não atenderam. Ele insistiu, e tudo o que ouviu foram as vozes gravadas na caixa postal delas.

Às sete e meia da manhã, começaram a bater à porta do quarto.

– Estou.

– Tá onde, Almeidinha? *Ven luego* que o dia promete – chamou uma voz que jamais ouvira.

Naquela manhã, os artistas e os jornalistas foram cuidar de suas vidas, sempre muitos ocupadas, e Almeida foi apresentado ao time responsável pela campanha, pessoas com quem conviveria pelos próximos meses e que, provavelmente, estariam em seu governo caso fosse eleito.

Victoria, a coordenadora-geral, era uma argentina que se mudara para o Brasil durante o governo de Mauricio Macri. O hábito de acender um cigarro no outro tinha surgido durante a crise econômica que lhe tirara quase tudo o que tinha. E, durante aquele café da manhã regado a mamão e queijo minas, Victoria contou a Almeida que, tão logo a campanha terminasse, iria deixar de fumar. Mas com uma condição: se ele vencesse.

– Prometi *a la vírgen* de Luján que, se você for presidente, eu paro com esse vício – Victoria falou, entre uma tragada e outra, num portunhol divertido. – Quando o Almeidinha for eleito, eu *empiezo* a tomar remédios e largo *esta mierda*.

Outro que passaria os próximos meses praticamente grudado em Almeida era o marqueteiro Lucas Viana. Os dois se conheciam de outros carnavais, pois, na época em que Almeida escrevia discursos, trabalhavam com os mesmos políticos, ainda que nem sempre do mesmo lado.

– Almeidinha, eu te via lá escrevendo discursos pro picolé de chuchu, pra *presidenta*, rapaz... nunca imaginei!

– Nem eu, Viana. Jamais!

– A repercussão do evento de ontem foi tão magnífica que acho que não vou ter muito trabalho. Até porque, pela primeira vez, não vou precisar mentir nem destruir reputações. Com você, Almeidinha, eu me torno quase um jornalista, porque só preciso falar a verdade: você é o candidato da verdadeira utopia!

Almeida ficou com as bochechas rosadas e tomou mais um gole de suco de laranja.

– Estou pronto. Podemos sair.

– E está *en la* hora mesmo – disse Victoria. – *Tendremos* entrevista agora no *Bom Dia*.

– Na Globo?

– Claro! Todo mundo te quer: você vai na Globo, na Band, na Cultura...

– Entendo perfeitamente.

E assim a jornada começou. Almeida teve destaque no telejornal matutino, que reprisou muitos momentos do inesquecível evento do Teatro de Arena. Depois entrou num jatinho e foi direto a São Paulo tomar café com Ana Maria. Ele sempre dizia a Lígia que Ana era "a diva das nossas manhãs". Emocionou-se quando ela pegou em sua mão, revelando ao Brasil os detalhes da corajosa missão dele nos Anos Dourados. Chorou ao vivo ao saber que Tom Veiga, o ator que dava vida ao Louro José, havia morrido no tempo em que estivera fora.

– Nossa, Ana. Quanta coisa eu perdi...

Na Band, foi ao jornal da Adriana Araújo e encantou-se com a apresentação tão correta que fez da trajetória do candidato. Teve a impressão de que havia conquistado alguns votos na equipe do estúdio.

Na saída, pediu ao diretor de jornalismo se poderia ver "o queridíssimo Boechat", que sempre fora para Almeida um exemplo de jornalista.

Ele chegou a perder a fala quando soube da trágica morte de seu velho amigo, num acidente de helicóptero, dois anos antes. Quando enfim se recompôs, ainda com os olhos vermelhos, Almeida pediu ao diretor Rodolfo que o deixasse alguns minutos sozinho no estúdio de rádio onde Boechat apresentava seu programa diário.

– Por Cristo... por Oxóssi, Boechat! – ele disse, olhando para uma cadeira vazia. – Logo neste tempo de intolerância, quando a gente mais precisava da sua lucidez.

Almeida foi ainda gravar o *Roda Viva* com a Vera Magalhães, gravou uma participação no *Ratinho*, riu e falou sério com Gregório numa edição inteira do *Greg News*, e entrou ao vivo, por telefone mesmo, para uma série de rádios, podcasts e jornais vespertinos. Sua jornada terminaria, à noite, no telejornal que, apesar de todos os ataques daquele-cujo-nome-não-se-deve-dizer, ainda era o mais assistido do país.

Quando chegaram ao Jardim Botânico, na porta do estúdio, Victoria o puxou num canto, cigarro na boca.

– Não vai *llorar* de novo, né? O Brasil inteiro vai te assistir. Dá teu recado. *Arriba*, Almeidinha!

Ao ouvir a música de abertura do *Jornal Nacional*, Almeida ficou arrepiado. Nunca imaginou que um dia pudesse estar sentado naquela bancada. Ou melhor, quando era um jovem estudante de Jornalismo, até nutriu esse sonho, quem sabe um dia estaria ao lado de William Bonner... Só não imaginou que estaria ao lado dele e de Renata Vasconcellos na condição de candidato à presidência da República.

Depois de uma reportagem que contava a ascensão meteórica do candidato, os apresentadores quiseram saber como tinha surgido aquela candidatura tão fora dos padrões.

– Boa noite, Renata. Boa noite, William. Bem, a ideia toda de minha candidatura partiu do Tom.

Diante dos olhares intrigados, Almeida explicou:

– Acho que foi em 1960... 61 talvez... Eu estava no apartamento de Tom Jobim, em Ipanema, ele tinha me pedido ajuda na letra de uma de suas canções, e no meio da conversa disse que eu era "*o candidato ideal* para mudar o Brasil". Lembro-me perfeitamente das palavras dele.

– Tom... Jobim?

– Claro que, no princípio, aquilo me soou como pura metáfora, no máximo uma gentileza do Tom. Mas, depois, quando eu fui tentando mudar nossa história, com Juscelino, Jânio, Jango... e fui fracassando, como vocês bem sabem... inclusive levei um golpe de Geisel... depois disso, aquela ideia foi amadurecendo, amadurecendo... Mas, bem, no final das contas, assim que voltei a 2022, já estava tudo organizado para minha campanha. Então, não sei, não sei mesmo, William... Agora que você me pergunta isso, eu me pergunto outra coisa: como foi que o Tom e a Nara se comunicaram com os artistas de agora?

Nos bastidores, Victoria colocou a mão na cabeça, apavorada com a possibilidade de que aquela explicação confusa repercutisse mal entre os eleitores.

De fato, no mesmo instante, surgiram as hashtags *#DelírioAlmedinha* e *#CandidatoFracassado*, que apareceram entre os assuntos mais postados do momento nas redes sociais. Um dos comentários mais ácidos dizia que Almeida não era jornalista coisa nenhuma: "Ele é um ficcionista, um comediante que sofre com a síndrome de Dom Quixote".

O marqueteiro Viana, assustado com aqueles comentários, telefonou para a central 24 horas que havia montado para trabalhar na campanha. Reforçou com sua equipe que era preciso reagir, mas sempre dentro das diretrizes éticas que lhe tinham sido transmitidas pelo candidato.

– Sem ataques, minha gente! – Viana dizia, e seu time ouvia no viva voz. – Milícia do ódio é artimanha da concorrência. Eles é que usam os grupos de Zap e Telegram pra espalhar mentiras sem qualquer controle. Só vamos responder com propostas e palavras conciliatórias. Entendido?

A apresentadora perguntou se Almeida sabia que seu maior adversário, o presidente Jairo, estava ameaçando mais uma vez com a possibilidade de não aceitar o resultado das urnas, e que ele queria instalar um *cabo* para alimentar um computador das Forças Armadas, permitindo aos generais contar os votos sem precisar confiar na apuração do Tribunal Superior Eleitoral.

– Renata, mas eu fico em dúvida... – Almeida respondeu, com sutil ironia. – Ele quer um *cabo* de fibra ótica ou um *cabo* do exército, assim como eles queriam um cabo e um soldado para fechar o Supremo Tribunal Federal? Ora... Se as Forças Armadas tiverem a palavra final na eleição, isso significará a volta da ditadura! Precisamos reforçar nossas instituições democráticas, e não as desmoralizar. Se meu oponente não aceitar o resultado das eleições, o problema é dele. O Brasil sabe de seu amor pelos golpes e por ditaduras, e nós sabemos da confiabilidade de nosso sistema eleitoral. Isso não passa de mais uma cortina de fumaça para esconder as mazelas de seu governo. – Almeida bateu na mesa. – Ponto-final.

Com a batida, o candidato derrubou o copo que estava à sua frente, a água se espalhou pela mesa, molhou o teclado e a roupa da apresentadora, mas, por sorte, a câmera já não estava neles.

Enquanto se viam os comerciais, a resposta às ameaças de Jairo repercutia muito bem na internet. Na volta, a entrevista enveredou por outros assuntos. As propostas do candidato para a economia e para a educação também foram muito bem aceitas, e ele falou sobre quem seriam seus principais ministros.

Assim se passaram vinte minutos de telejornal.

No fim, Almeida teve espaço para dizer o que quisesse.

– Uma última declaração, candidato. Mas pedimos que seja breve.

Mãe Frederica começou a rezar. Viana cruzou os dedos e fechou os olhos. Victoria virou de costas para a televisão, temendo que Almeida falasse mais alguma coisa confusa sobre o passado, o que os eleitores provavelmente não entenderiam, e os *haters* logo criticariam. Mas ele só falou do sonho que lhe ocorrera lá atrás quando foi conhecer o morro da Mangueira com Nara Leão.

– Eu tenho um sonho, William... Eu tenho um sonho de que um dia este país vai se levantar e viver o verdadeiro significado daquilo em que nós acreditamos: achamos que essas verdades são óbvias, que todos fomos criados iguais, por Deus, pelo Big Bang, pela evolução das espécies ou por tudo isso junto... mas não é assim. Eu tenho um sonho de que um dia, nos morros do Rio de Janeiro, os descendentes dos escravos, os descendentes dos primeiros indígenas e os descendentes dos senhores de terra irão se sentar juntos na mesa da irmandade, e com igualdade de oportunidades. Eu tenho um sonho de que um dia as periferias de São Paulo, assim como os sertões e os bolsões de misérias do nosso Nordeste, do Norte, do Sul, do Sudeste e do Centro-Oeste, essas áreas repletas de injustiça e desigualdade social serão transformadas em oásis de liberdade e justiça. Eu tenho um sonho de que minha filha Juju...

O discurso continuou por alguns minutos e, mesmo estourando o tempo previsto para a entrevista, ninguém teve coragem de interrompê-lo. Ao fim, todos, absolutamente todos os que estavam no estúdio, e na redação, e nos lares brasileiros, ficaram com os olhos marejados. Havia outra vez cordialidade, gentileza e otimismo no Brasil.

Imediatamente, *#AlmeidinhaPresidente* voltou ao primeiro lugar na lista de tópicos do Twitter. O vídeo com o Discurso do Sonho viralizou e foi replicado pelas redes sociais, e traduzido para diversas línguas. O Spotify lançou *Brazilian Dream Speech* como se fosse uma música, e a faixa logo subiu para o número um mundial, à frente até mesmo de Anitta. Blogueiros do Brasil e do mundo fizeram vídeos analisando as *palavras mágicas* de Almeida. Os maiores influencers do momento criaram a campanha "Almeidinha Já!". Youtubers apareceram em vídeos longos relembrando a trajetória do jornalista que se destacou na carreira como redator de discursos e que naquele momento estava prestes a governar o Brasil. A milícia do ódio perdeu muitos de seus soldados, que abandonaram o emprego e destruíram milhões de *bots* percebendo o absurdo que estavam fazendo, e Jairo Dois tornou-se irrelevante outra vez.

Nos sites de notícias, do *Globo* ao *New York Times*, do *Estadão* ao londrino *The Guardian*, as manchetes eram todas favoráveis, arrebatadoras. A que melhor resumia o sentimento dos brasileiros se destacava em letras imensas na *Folha de S. Paulo*:

ALMEIDINHA, O CANDIDATO DOS SONHOS!

33

Na semana seguinte, ainda se sentindo muito sozinho e triste por não conseguir falar com Juju ou com Lígia, Almeida voltou à tevê, dessa vez acompanhado de mãe Frederica, para uma entrevista com Fausto Silva. No programa, ao vivo, Fausto e Almeida se abraçaram muito, velhos amigos que eram. O público aplaudiu e assoviou. Mãe Frederica ganhou um beijo carinhoso, apresentada como "a maior vidente socióloga do Brasil". Enquanto recebia aplausos, ela pediu ao Fausto para ficar sentada, pois se sentia exausta depois de tantas viagens.

O apresentador disse que Almeida tinha sido "o melhor e mais honesto redator de discursos da história do Brasil, um verdadeiro democrata" e, depois de fazer algumas perguntas sobre os encontros com Tom Jobim e a turma da bossa nova, quis saber se o convidado aceitaria ficar de olhos vendados.

– Claro, Fausto – Almeida respondeu, abrindo um sorriso largo. – Vamos brincar de cabra-cega?

Não era bem isso.

Sem ver absolutamente nada, Almeida começou a sentir um perfume conhecido. O cheiro foi ficando mais forte e, de repente, alguém o beijou na boca, um beijo delicioso.

Lígia tirou a venda dos olhos do marido, e os dois se abraçaram. Choraram muito. Beijaram-se outra vez, e ele, incrédulo, falou ao microfone:

– Lígia, meu amor, você quer voltar para mim?

– Seu cachorro, eu te amo! Sempre te amei! Claro que eu volto. Nunca na minha vida imaginei viver sem você.

Naquele instante, como se tivessem conversado por telepatia, os dois decidiram que jamais se fariam perguntas sobre o passado. Assim como propunha para o Brasil, Almeida faria com sua mulher: reconciliação sem qualquer sentimento de vingança ou acerto de contas. Reconciliação pura, com amizade e amor!

Na primeira fila, Victoria soluçava de tanto chorar de alegria. Viana celebrava: aquilo renderia milhões de votos. E mãe Frederica sorria um sorriso que só os mais sábios conhecem.

A banda do programa começou a tocar música romântica, e Almeida dançou abraçado a Lígia, sorrindo, olhos nos olhos, à espera da próxima surpresa. Nada aconteceu. Fausto Silva agradeceu a presença de todos e encerrou o programa com a imagem bonita do casal que havia se reconciliado.

Ao fim, quando a música parou, Almeida perguntou a Lígia:

– Mas cadê Juju, meu bem?

– Calma, Almeidinha, ainda estamos em negociação, mas ela vai voltar.

34

Sempre com Lígia a seu lado, ainda que com o peito apertado pela ausência da filha, Almeida seguiu em campanha ininterruptamente por muitas semanas, e ininterruptamente sem sucesso tentando falar com Juju, até que, no fim de setembro, depois de um comício em Ipanema, ela apareceu.

– Pai... eu te perdoo.

– Minha filha!

– Te odiei muito. Acreditei que o Jairo era um grande cristão, que iria nos devolver os valores da família brasileira e, naquele momento em que você estava sumido, e a gente sabia que você estava vivo... você era o oposto da família que eu sonhava.

– Entendo, minha filha, claro que entendo.

– Mas eu cresci, papai. Aprendi a ver as coisas de outra maneira, e tive maturidade pra enxergar o horror em que eu tinha me metido, aquele Gilmário, aquele ladrão, que de cristão não tinha nada, um corrupto que roubava no Ministério da Educação.

– E logo na Educação, Juju...

– Pois é, papai, e eu cheguei a dizer que botaria a cara no fogo por ele! Mas as máscaras foram caindo uma a uma, e eu descobri que estava sendo usada para um projeto desonesto, que pretendia transformar o Brasil numa ditadura disfarçada, onde só os seguidores de Jairo e do reverendo Jeroboão teriam direitos. Isso acabou! Terminei o noivado, e agora estou namorando o Enzo.

– Enzo?

Um rapaz que assistia à conversa alguns passos atrás se aproximou.

– Olá, candidato – ele disse.

– Enzo é jornalista, papai.

– Que alegria, minha filha! Que imensa alegria ver toda a transformação pela qual você passou!

– E o Enzo me ajudou a ver tudo o que você estava fazendo pelo nosso país. Ele me fez entender que só a democracia é possível, e que você é um democrata exemplar!

– Seja muito bem-vindo, Enzo. Venha me ajudar na campanha!

Juju e Enzo criaram uma série de contas em redes sociais para trabalhar pela campanha de Almeida. Assim como todo o resto da equipe, só divulgavam mensagens verdadeiras e propositivas. Em pouco tempo, as contas *@BrasilNãoFedeMais* que eles criaram no Instagram e no Twitter já reuniam mais de trezentos mil seguidores cada, número que seguia aumentando.

Nas muitas viagens pelo Brasil, Almeida foi sempre acompanhado de sua vice, mãe Frederica, de sua mulher, da filha e do novo genro. E, claro, Victoria e Viana não largavam o pé do candidato.

No fim de setembro, saíram as últimas pesquisas de intenção de voto. Foi Victoria quem trouxe a notícia.

– Me *acaban de llegar* aqui *las* pesquisas. – Muito agitada, Victoria.acendeu um cigarro e carregou no portunhol. – Candidato, *sientate* por favor, *no quiero* que você se canse nem passe mal.

– Mas eu já estou sentado, Victoria.

– Viana, pessoal, todos *tienen* que ficar sentados e em silêncio, *puede ser*? – Ela deu mais uma tragada no cigarro e começou a ler. – Então aqui está, *la peor* pesquisa... *la peor* de todas!

– Mas por que pior? Alguma coisa que eu disse? – Almeida exclamou, os olhos arregalados.

– Não exatamente, *mi precioso*. Aqui *en la primera* pesquisa Almeidinha aparece...

Juju, Lígia, Enzo, mãe Frederica, Viana e todos da equipe ficaram de olhos arregalados, com as sobrancelhas levantadas. Quem tinha óculos os ajeitou sobre o nariz, como se tivesse incorporado o tique nervoso de Almeida.

– Em *primero* lugar!

Eles se levantaram, pularam e se abraçaram.

Lígia deu um demorado beijo de língua em Almeida, e ele ficou completamente ruborizado.

– *Vós estás* com 82 por cento *de las* intenções de voto. Vai se eleger já *en el primer* turno!

– Então, se essa é a *pior* pesquisa... – Juju quis saber.

– As outras duas dão exatamente o mesmo resultado, *mi dulce*: só que Almeidinha é eleito com 85 por cento dos votos!

E assim foi.

No dia 2 de outubro de 2022, o Brasil deu uma resposta contundente nas urnas eletrônicas. Não queria mais um presidente que dividia seu povo, que inventava inimigos, que destruía reputações, que fabricava mentiras, que negava a realidade, que era negligente com a saúde das pessoas, que favorecia os amigos, que permitia e até incentivava o tráfico de influência em seu governo, que desrespeitava os pretos, que desprezava os indígenas, que privilegiava o agronegócio em detrimento do meio ambiente, que detestava os homossexuais, que atacava as instituições democráticas, que homenageava ditadores, que exaltava torturadores, que pretendia reescrever a história e ignorar a realidade de um golpe que estraçalhou o Brasil, que... enfim... que nunca deveria ter saído de seu minúsculo vilarejo de Glicério.

O Brasil elegera o candidato dos sonhos, e agora queria vê-lo na presidência.

Aos poucos, parentes que tinham brigado fizeram as pazes. Amigos que estavam sem se falar trocaram telefonemas e marcaram chopes. Da Basílica de São Pedro, em sua homilia, o papa Francisco manifestou sua alegria: "Estou muito feliz com a volta da paz e da concórdia entre os nossos irmãos brasileiros".

O Brasil voltou a ser o país da tolerância, do afeto e do sorriso. Corruptos foram presos. Muitos bandidos resolveram deixar o ofício e foram procurar emprego, pois havia de sobra. Lobistas sediados em Brasília pediram asilo na Hungria. Os dois ministros do Supremo Tribunal·Federal indicados pelo ex-presidente pediram aposentadoria precoce. Jairo e seus filhos foram morar nos Estados Unidos, e conseguiram emprego como assistentes de *caddies* num campo de golfe em Mar-a-Lago.

Ah, e o *Centrão*, aquele bando... Bem, o *Centrão* continuou sendo pior que um sapo murcho com olho de baiacu morto. Mas Almeida aprendeu a lidar também com aqueles políticos, sem jamais os destratar. Alguns deles até se curaram da velha doença.

Por fim, muitas décadas depois que a ditadura matou o amor, sepultou o romantismo e estraçalhou a democracia brasileira, o país tropical abençoado e bonito por natureza voltou a sorrir. Os problemas não acabaram, não foi isso. Mas passaram a ser tratados de maneira adequada, com empenho e honestidade pela equipe do presidente Almeidinha.

Depois daquele período de trevas, até a música brasileira respirou aliviada. Sem nada importante contra o que protestar, voltou-se a cantar o amor, o sorriso e a flor.

35

Meses depois, o presidente Almeidinha despertou ouvindo um som diferente no Palácio da Alvorada. Certificou-se de que Lígia dormia profundamente, e que o único ruído que ela emitia era o de sua respiração suave e serena. Percebeu, enfim, que o som que o despertara era de um piano. Sim, havia um piano no palácio. Almeidinha passou pelo quarto de Juju, confirmou que ela e Enzo dormiam, fechou a porta e vestiu suas pantufas para ir até a sala.

– Tom, é você?

Almeida abriu seu sorriso de lagarto orgulhoso, arregalou os olhos e sentiu a sobrancelha subindo até o alto da testa: Tom Jobim estava sentado ao piano, muito mais velho que nos outros encontros, de terno branco e chapéu de palha, com um charuto aceso entre os dedos.

Almeida correu para abraçá-lo.

– Meu maestro amado, quanto tempo!

– Almeidinha, querido, vim te cumprimentar. Que maravilha tudo que você fez! Que bem você tá fazendo pro nosso Brasil, hein?

– Ora, Tom, o que é isso! A ideia da candidatura foi sua. Você é que é um grande brasileiro!

– Sou brasileiro e sou Almeida, como você. Não sei se você sabe disso – Tom disse, esquecendo-se de que era a terceira vez que falava da coincidência de sobrenomes entre os dois.

– Sim, sim. Antônio Carlos Brasileiro de Almeida Jobim, nosso maestro genial.

– Ora, Almeidinha. Não me venha com bajulações desnecessárias a uma hora dessas. São duas da madrugada. Escuta...

– Sim... você quer um uísque?

– Obrigado, não tô bebendo.

– Está bem. Me diga, Tom.

– É o seguinte, presidente: eu preciso da tua ajuda numa letra.

– Sério? Voltou a compor?

– Não. Esse é o problema. A música não é minha.

– Se for do Vinicius, prefiro não mexer de novo...

– Não, nada disso, deixa eu falar. Vinicius já nos deixou faz tempo, ora, eu não teria como compor nada com ele. Essa é de um certo Francisco Manuel, um cara que viveu há duzentos anos.

– Sei...

– E a letra, bem mais recente que a música, é do Osório Duque-Estrada. Foi composta em 1909, no comecinho da Primeira República.

– Ah, o nosso Hino Nacional? Eu sei, foi criado no auge do positivismo, durante o governo do meu antecessor Nilo Peçanha. E olha que curioso, Tom, sabe qual era o primeiro título da música do nosso hino, ainda em 1831?

– Não faço ideia, Almeidinha.

– *A Queda do Tirano*! Acredita?

– Mas nada poderia ser mais adequado, querido – Tom disse sorrindo. – Eu tô aqui justamente porque acho que essa letra que diz "Ouviram do Ipiranga as margens plácidas..." etc. é muito linda, tem partes belíssimas como aquela que diz "gigante pela própria natureza", mas precisa ser atualizada, não acha? Primeiro porque o brasileiro não entende nada dessa letra, ninguém entende essas frases de ordem invertida. Depois, porque... Bem, Almeidinha, você não acha que já está na hora de dar novo sentido ao sentimento do que é ser brasileiro?

– Eu já estou imaginando... Um hino nacional composto por Tom Jobim! Isso vai ser incrível! Muito brasileiro, e muito atual.

– Atual eu não diria, né? Mas brasileiro sim – Tom concordou sorrindo, e acendeu novamente o charuto.

– Toca um pouquinho... vamos começar nossa nova parceria.

Tom deu uma tragada, ajeitou o terno e começou a tocar o Hino Nacional. Antes que Almeida pudesse cantá-lo, no entanto, Lígia apareceu, sonolenta, de camisola.

– Meu bem, larga esse piano, vem dormir.

– Está bem, sim, meu bem, já estou indo.

– Anda, amor. Amanhã você tem reunião cedo.

Lígia saiu, e Almeida virou-se novamente para o piano, querendo falar com Tom, mas Tom não estava. O presidente andou pelo salão do Alvorada para ver se o amigo não tinha ido se sentar num sofá, numa cadeira, ou talvez estivesse encostado em alguma vidraça para admirar Brasília. Foi procurá-lo no banheiro, na cozinha, numa outra sala, mas estava tudo intocado, como antes. Tom Jobim havia desaparecido.

O presidente Almeida sentiu uma lágrima correndo, e depois outra, e muitas outras. Só naquele momento compreendeu exatamente tudo o que lhe havia acontecido. Com um sorriso sereno no rosto, apagou as luzes do corredor, deixou as pantufas na entrada do quarto e, abraçado a Lígia, conseguiu finalmente dormir em paz.

A Justa Reparação

Dedico este livro à memória do meu avô Carlos Alberto Martins Alvarez, que estava no auge de sua carreira de aviador da Aeronáutica brasileira quando, por discordar da ditadura militar e de seus métodos brutais, foi preso por 51 dias no navio *Princesa Leopoldina*, da Marinha brasileira, e saiu dali cassado. O coronel Alvarez, como era conhecido, não só foi expulso da Aeronáutica, como também foi proibido de exercer a profissão de piloto, mesmo que fosse numa companhia aérea privada. Nunca foi comunista, nem sequer defendia algum partido político.

Sem salário, de um dia para o outro, se viu obrigado a sair batendo de porta em porta, vendendo produtos para recém-nascidos: as cestinhas *Cegonha* – curiosa ironia com um aviador que estava proibido de voar. Depois, foi ser corretor de imóveis e, assim, dignamente, sustentou nossa família sem que nada faltasse. Anos mais tarde, quando o acaso o fez viver a poucos metros de seu algoz, o general Emílio Garrastazu Médici, em uma casa de campo em Itaipava, meu avô lamentou a péssima vizinhança, mas nos deu exemplo de sua dignidade mais uma vez: jamais pensou em fazer qualquer coisa contra o cruel ditador; jamais alimentou em nós qualquer desejo de vingança. E não teria sido difícil ao menos tirar satisfações daquele velho sanguinário, pois Médici mantinha o portão da casa onde morava sempre aberto. Eu mesmo cheguei a estar com ele na sala de sua casa, um aposentado como outro qualquer, em pijamas e chinelos de couro, numa certa vez em que fui jogar futebol com seu neto, Marcelo.

Já idoso, quando a democracia começou a ser restituída, meu avô foi promovido a brigadeiro da Aeronáutica, o que, no entanto, nada contribuiu para devolver-lhe os anos perdidos, pois já não podia fazer o que mais amava na vida: voar. Morreu aos 77 anos, em 1994, sem saber se algum dia venceria na Justiça a ação, impetrada junto com alguns de seus colegas cassados, na qual faziam um pedido de reparação.

Dedico este livro também à minha avó, Gelza Carmen Oberlaender Alvarez, que durante toda sua vida se lembrou com sofrimento e orgulho do dia em que *expulsou* os soldados da ditadura de sua casa, quando foram à procura de meu avô, assustando as crianças pequenas, desrespeitando mais uma vez o lar da minha família. Dona Gelza enfrentou os seis homens armados com metralhadoras, impedindo-os de revistar a casa, dizendo-lhes, depois de ouvir que um deles havia engatilhado a arma: "Saiam daqui, seus cretinos, cachorros!". Ao questioná-los se estavam de posse de algum mandado judicial para entrar na casa, ouviu de um deles: "Vamos sair logo daqui".

Minha avó morreu aos 93 anos, em 2016, ainda à espera de que um dia o governo brasileiro decidisse pagar a devida reparação a meu avô e a outros tantos militares violentados de maneira parecida. Uma reparação que já havia sido determinada pela Justiça e que havia se transformado num incômodo precatório para diferentes governos – até hoje não pago.

Não deve ter sido por acaso que de Gelza e Carlos Alberto nasceu meu pai, a quem também dedico este livro. Carlos Eduardo Oberlaender Alvarez passou a vida obcecado pela democracia e por justiça. Sentia tristeza profunda pelo que a ditadura fizera com a vida de seu pai. Como funcionário do Serpro – órgão de informática do Governo Federal –, Alvarez foi um dos responsáveis pela implantação da urna eletrônica no Brasil. Lembro-me, quando criança, das viagens que ele fazia com seu colega Fernando Porto querendo determinar a maneira mais segura de se votar sem risco de fraudes em nosso país. Ele o fez de maneira obstinada, certo de que o voto eletrônico seria um instrumento fundamental para o aprimoramento da democracia brasileira, como de fato o foi. Prefiro não pensar no que ele diria agora, se vivo estivesse, ao saber que um governante que despreza a democracia e louva a ditadura está querendo voltar ao tempo do voto impresso.

Dedico este livro não só à minha família, mas a todas que sofreram e ainda sofrem as consequências nefastas do regime ditatorial que se instalou no Brasil com o pretexto de afastar o comunismo e acabou se transformando num dos capítulos mais sangrentos e desumanos da nossa história.

Nota do Autor

ainda que seja uma obra satírica de ficção, preocupei-me em manter as informações históricas corretas, condizentes com os acontecimentos reais do momento atual e do passado. As personalidades homenageadas, tratei de apresentá-las de maneira respeitosa e coerente com suas reais biografias. E isso, a meu ver, é fundamental para que o leitor possa transitar seguro pelas páginas de *O Candidato*.

Um exemplo é quando trato do governo de Juscelino Kubitschek: o contexto político, as datas, discursos, críticas e elogios são todos baseados no que está nos livros de história ou na imprensa da época. Além de serem baseados em fontes fidedignas, os fatos citados neste livro foram rechecados. O mesmo que expliquei sobre JK vale para Jânio Quadros, João Goulart, presidentes, ministros e outras personalidades citadas. As exceções, claro, estão em tudo aquilo que diz respeito ao Almeidinha, à Lígia, à mãe Frederica e aos outros personagens que são essencialmente ficcionais.

As referências à bossa nova e seus gênios criadores também são todas fundamentadas na realidade. Esse é o caso, por exemplo, do memorável show de 21 de novembro de 1962 no Carnegie Hall em Nova York, narrado neste livro com base nos fatos descritos no belo *Chega de Saudade*, do mestre Ruy Castro.

Outros livros importantes para a sustentação histórica desta ficção são *O Anjo Pornográfico – a vida de Nelson Rodrigues*, também de Ruy Castro; *Feliz 1958 – O ano que não devia terminar*, de Joaquim Ferreira dos Santos; *A ditadura envergonhada*, da série de Elio Gaspari; *De Getúlio a Castelo*, de Thomas Skidmore; e *Noites tropicais*, de Nelson Motta. A série televisiva documental *O canto livre de Nara Leão*, dirigida por Renato Terra, exibida pela Globoplay, foi também importante para a reconstrução da época da bossa nova.

Artigos de jornais, com destaque para *O Globo*, *Folha de S. Paulo* e *O Estado de São Paulo* foram também fontes importantes, principalmente para recontar os acontecimentos mais recentes da política e da vida cultural brasileira. As redes sociais, em especial o Twitter, foram de grande utilidade para que eu pudesse retratar o Brasil atual.

Os diálogos do livro, mesmo quando baseados em falas reais das personalidades públicas nele citadas, são todos ficcionais.

Agradecimentos

Por mais que eu tenha começado a imaginar este livro em 2018, e naquela época tenha rascunhado os primeiros capítulos, *O Candidato* acabou sendo escrito mesmo no primeiro semestre de 2022, tendo sido concluído nas semanas que antecederam sua publicação, em julho. Para que tivesse ao mesmo tempo o caráter reflexivo sobre a alma brasileira e o frescor jornalístico que captura o *zeitgeist* do nosso povo num tempo em que esse "humor coletivo", esse "espírito do momento", se modifica na velocidade das redes sociais, contei com ajuda imprescindível de algumas pessoas que têm notórias qualidades literárias ou estão, por diferentes razões, vivenciando cotidianamente os acontecimentos políticos, sociais e culturais em nosso país.

Foi fundamental para que *O Candidato* saísse do papel o apoio do jornalista Sérgio Patrick, que contribuiu com ótimos insights e comentários sempre pertinentes. Envolveu-se tanto no projeto que acabou por assumir a tradução do livro para o inglês, em edição que se publica nos Estados Unidos de maneira quase simultânea à publicação do original em português.

O escritor Cristiano Gualda, mais uma vez, contribuiu com sua leitura afiada, atenta às questões mais literárias e de narrativa. Pedro Porto, amigo novo, mago das redes, me ajudou a deixar o livro o mais *up to date* possível com as transformações sociais pelas quais estamos todos passando em velocidade jamais vista. O amigo Lula Cristófaro, homem de muitas boas ideias ficcionais, fez comentários precisos e preciosos. O jornalista Ricardo Ishmael, apresentador de tevê com os pés fincados nas areias de Salvador, me ajudou a compreender melhor os rituais do Candomblé Ketu, para tornar mãe Frederica o mais baiana e verdadeira possível. O jornalista Ernani Lemos, "o embaixador de Londres", fez comentários fundamentais. Fernando Pagan, vida feita de livros, construiu pontes imprescindíveis.

O querido Érico Magalhães foi um apoiador entusiasmado, com contribuições relevantes. A querida amiga Ana Cristina Schmidt mais uma vez passou seu pente fino e severo por todas as letras do manuscrito, afiada e sorridente como sempre. O querido Joel Fridman, perfeccionista de corpo e alma, perscrutou cada linha e me trouxe boas luzes, mais uma vez.

Minha Ana Cristina Nasciutti Alvarez foi, como há mais de uma década tem sido, a primeiríssima leitora de cada página, e mais uma vez me emprestou sua crítica afiada e sugestões criativas desde o dia em que Almeidinha começou a nascer. Seu amor, meu amor, move capítulos.

Agradeço imensamente ao jornalista e cientista político Rodrigo de Almeida por ter estado na origem da criação deste livro e por, em todo o processo, ter me proposto revisões e acréscimos sempre pertinentes e enriquecedores.

Obrigado também ao meu *publisher* Marcial Conte Jr. e ao editor André Fonseca por terem aceitado o desafio de fazer acontecer um livro que, de antemão se sabia, só lhes chegaria na forma de um manuscrito poucas semanas antes da publicação.

Por fim, e nem um pouco menos importante, obrigado a vocês, leitores, pelos apoios, cobranças, críticas, comentários e, muitas vezes, manifestações puras de afeto. Acho que é mesmo de afeto que precisamos agora!

Rodrigo Alvarez
Junho de 2022

Livros para mudar o mundo. O seu mundo.

Para conhecer os nossos próximos lançamentos
e títulos disponíveis, acesse:

🌐 www.citadel.com.br

f /citadeleditora

📷 @citadeleditora

🐦 @citadeleditora

▶️ Citadel – Grupo Editorial

Para mais informações ou dúvidas sobre a obra,
entre em contato conosco por e-mail:

✉️ contato@citadel.com.br